TERCEIRO CATECISMO
DA DOUTRINA CRISTÃ

Dados Internacionais de Catalogação na Publicação (CIP)
(Câmara Brasileira do Livro, SP, Brasil)

Terceiro catecismo da doutrina cristã. – 1. ed. – Petrópolis, RJ : Vozes, 2024.

"Aprovado pelos senhores arcebispos e bispos das províncias eclesiásticas meridionais do Brasil".

ISBN 978-85-326-6713-7

1. Catecismo – Estudo e ensino
2. Doutrina cristã – Ensino bíblico
3. Igreja Católica – Doutrinas 4. Vida cristã.

24-197718   CDD-238.2

Índices para catálogo sistemático:

1. Catecismos : Igreja Católica : Doutrina católica   238.2

Aline Graziele Benitez – Bibliotecária – CRB-1/3129

TERCEIRO CATECISMO

DA DOUTRINA CRISTÃ

Aprovado pelos senhores arcebispos e bispos das
províncias eclesiásticas meridionais do Brasil

EDITORA
VOZES

Petrópolis

© 2024, Editora Vozes Ltda.
Rua Frei Luís, 100
25689-900 Petrópolis, RJ, Brasil
www.vozes.com.br

Todos os direitos reservados. Nenhuma parte desta obra poderá ser reproduzida ou transmitida por qualquer forma e/ou quaisquer meios (eletrônico ou mecânico, incluindo fotocópia e gravação) ou arquivada em qualquer sistema ou banco de dados sem permissão escrita da editora.

CONSELHO EDITORIAL

Diretor
Volney J. Berkenbrock

Editores
Aline dos Santos Carneiro
Edrian Josué Pasini
Marilac Loraine Oleniki
Welder Lancieri Marchini

Conselheiros
Elói Dionísio Piva
Francisco Morás
Gilberto Gonçalves Garcia
Ludovico Garmus
Teobaldo Heidemann

Secretário executivo
Leonardo A.R.T. dos Santos

PRODUÇÃO EDITORIAL

Aline L.R. de Barros
Marcelo Telles
Mirela de Oliveira
Otaviano M. Cunha
Rafael de Oliveira
Samuel Rezende
Vanessa Luz
Verônica M. Guedes

Conselho de projetos editoriais
Luísa Ramos M. Lorenzi
Natália França
Priscilla A.F. Alves

Editoração: Giulia Araújo
Diagramação: Editora Vozes
Revisão gráfica: Nilton Braz da Rocha
Capa: Nathália Figueiredo

ISBN 978-85-326-6713-7

Este livro foi composto e impresso pela Editora Vozes Ltda.

SUMÁRIO

Pastoral, 9

Terceiro catecismo da doutrina cristã, 15

Lição I – Do sinal da cruz, 25
Lição II – Deus e o homem, 28
Lição III – Unidade e Trindade de Deus, 30
Lição IV – Encarnação, Paixão, Morte e Ressurreição do
 Filho de Deus, 33
Lição V – Da vinda de Jesus Cristo no fim do mundo: do
 juízo particular e universal, 37
Lição VI – Da doutrina cristã, 40
Lição VII – Das virtudes teologais, 42

Parte I, 49
*Do Símbolo dos Apóstolos, vulgarmente
chamado "Credo"*

Lição I, 51
Lição II – Do primeiro artigo do símbolo, 53
Lição III – Do segundo artigo do Símbolo, 61
Lição IV – Do terceiro artigo do Símbolo, 65
Lição V – Do quarto artigo do Símbolo, 66
Lição VI – Do quinto artigo do Símbolo, 69
Lição VII – Do sexto artigo do Símbolo, 70
Lição VIII – Do sétimo artigo do Símbolo, 72
Lição IX – Do oitavo artigo do Símbolo, 73
Lição X – Do nono artigo do Símbolo, 76
Lição XI – Dos três últimos artigos do Símbolo, 93

Parte II, 97
Da oração

Lição I – Da oração em geral, 99
Lição II – Da oração dominical, 102
Lição III – Continua a explicação da oração dominical, 105
Lição IV – Da saudação angélica, 118
Lição V – Da invocação dos santos, 111

Parte III, 113
Dos mandamentos de Deus e da Igreja

Lição I – Dos mandamentos de Deus em geral, 115
Lição II – Do primeiro mandamento da lei de Deus, 116
Lição III – Do segundo mandamento da lei de Deus, 120
Lição IV – Do terceiro mandamento da lei de Deus, 122
Lição V – Do quarto mandamento da lei de Deus, 124
Lição VI – Do quinto mandamento da lei de Deus, 137
Lição VII – Do sexto mandamento da lei de Deus, 130
Lição VIII – Do sétimo mandamento da lei de Deus, 131
Lição IX – Dos três últimos mandamentos da lei de Deus, 134
Lição X – Dos mandamentos da Igreja em geral, 147
Lição XI – Do primeiro mandamento da Igreja, 148
Lição XII – Do segundo e terceiro mandamento da Igreja, 140
Lição XIII – Do quarto mandamento da Igreja, 142
Lição XIV – Do quinto mandamento da Igreja, 147
Lição XV – Do pecado, 149
Lição XVI – Dos conselhos evangélicos, 151

Parte IV, 155
Dos sacramentos

Lição I – Dos sacramentos em geral, 157
Lição II – Dos sacramentos, em particular do Batismo, 162
Lição III – Da Crisma ou Confirmação, 179
Lição IV – Da Eucaristia ou Comunhão, 174
Lição V – Do santo sacrifício da missa, 184
Lição VI – Da Penitência ou Confissão, 188
Lição VII – Da Extrema-unção, 218
Lição VIII – Da Ordem, 219
Lição IX – Do Matrimônio, 224

Parte V, 229
Das virtudes principais e outras coisas
que o cristão deve saber

Lição I – Das virtudes principais, 231
Lição II – Dos dons do Espírito Santo, 236
Lição III – Bem-aventuranças evangélicas, 237
Lição IV – Das obras de misericórdia, 241
Lição V – Dos exercícios do cristão para santificar o dia, 244

Instruções sobre as principais solenidades da Igreja

Parte I, 253
Celebração dos mistérios divinos e práticas
eclesiásticas que com eles se relacionam

Lição I – Do Advento, 255
Lição II – Do Natal, 256
Lição III – Da Circuncisão do Senhor, 257
Lição IV – Da Epifania do Senhor, 258
Lição V – Dos domingos da Septuagésima, Sexagésima e
Quinquagésima, 260
Lição VI – Da Quaresma, 262
Lição VII – Da Semana Santa, 265
Lição VIII – Da **Pá**scoa da Ressurreição, 271
Lição IX – Da procissão que se faz no Dia de São Marcos
e nos três dias das Rogações, 274
Lição X – Da Ascensão do Senhor, 275
Lição XI – Da Festa de **Pe**ntecostes, 277
Lição XII – Da Festa da Santíssima Trindade, 280
Lição XIII – Da Festa do Corpo de Deus, 282

Parte II, 285
Das festas solenes de Maria Santíssima e de algumas outras
solenidades principais e devoções

Lição I – Da Imaculada Conceição de Maria Santíssima, 287
Lição II – Da Natividade de Maria Virgem, 289

Lição III – Da Anunciação de Maria Virgem, 290
Lição IV – Da Purificação de Maria Virgem, 293
Lição V – Da Assunção de Maria Virgem, 296
Lição VI – Da Festa dos Anjos, 298
Lição VII – Da Festa do Nascimento de São João Batista, 300
Lição VIII – Da Festa de São José, esposo da Santíssima
     Virgem, 302
Lição IX – Da Festa da Sagrada Família, 303
Lição X – Das Festas dos Santos Apóstolos e, em particular,
    de São Pedro e São Paulo, 306
Lição XI – Da Festa de Todos os Santos, 309
Lição XII – Da comemoração dos fiéis defuntos, 311
Lição XIII – Da Festa dos Santos Protetores, 312
Lição XIV – Da Festa da Dedicação da Igreja, 313
Lição XV – Das devoções, 316

Apêndice, 323
 Contendo diversas orações

Pastoral

De aprovação do Catecismo das províncias eclesiásticas meridionais do Brasil

O arcebispo metropolitano e os bispos das províncias eclesiásticas meridionais do Brasil

Ao clero secular e regular e aos fiéis de nossas dioceses saudação, paz e bênção em Nosso Senhor Jesus Cristo

A necessidade de um catecismo, irmãos e filhos diletíssimos, que nos dê a síntese de nossa religião, isto é, de seus dogmas e de nossas obrigações, e nos ensine de modo preciso nosso princípio, nosso fim e os meios de sermos eternamente felizes, é coisa que só pode desconhecer quem renegou toda a fé e o mesmo senso comum ao ente racional.

O que, porém, nem todos conheciam é a necessidade de ser uniforme esse ensino; e por isso contentando-se com a verdade não se incomodavam que houvesse diversidade na exposição dela.

Mas é certo que, sendo as verdades as mesmas e os mesmos os preceitos de nossa religião, é de toda a razão de conveniência que sejam as mesmas as fórmulas de os propor, e o mesmo o teor de os inculcar e explicar, para que da diversidade de exposição não nasça alguma divergência no crer ou no entender nossos mistérios.

Movido por estas razões, determinou o Santo Concílio Plenário Latino-americano que, ao menos em cada província eclesiástica, houvesse um catecismo único.

A este preceito temos procurado dar satisfação; e, em obediência dele, já corre o catecismo menor ou resumido, por nós confeccionado há quase um ano e há pouco posto em circulação.

Em obediência ao mesmo preceito confeccionamos agora este catecismo, que desejamos seja completo na doutrina, claro e sóbrio na exposição; correto na forma e eficaz para induzir todos os fiéis ao conhecimento e amor das verdades que aprendem e à obediência das leis santas, que nos levam ao céu.

Dificuldades independentes de nossa vontade, filhas de nossas condições atravessadas de obstáculos, impediram que, apesar dos esforços que constantemente temos envidado, pudesse ele sair mais cedo a lume. Agora, porém, com o auxílio de Deus e da Santíssima Virgem vos podemos apresentá-lo e oferecê-lo, amados irmãos e filhos; e queremos e mandamos que seja este o único catecismo adotado no ensino da doutrina, em continuação ao catecismo menor, do qual já vos achais de posse.

Queremos que todos o aprendam, depois de bem estudado e sabido o catecismo menor, e que seja o único texto nas paróquias, capelas, seminários, colégios e em todo o ensino desta matéria em nossas dioceses.

Persuadimo-nos também que este catecismo será guia seguro e auxílio valioso dos párocos e curas de almas na instrução catequética, que subgrave devem fazer para os adultos, todos os domingos e dias de festa, além da hora de catecismo, para os meninos e da homília para todos, como gravemente prescreve o Santíssimo Padre Pio X em sua memorável Encíclica *Acerbo Nimis*.

Com todas as veras exortamos aos pais de família que, seguindo as instruções deste catecismo, infundam em seus filhos e familiares as verdades e máximas da religião cristã, a observância de suas leis, a frequência de seus sacramentos e a prática das virtudes; o que constitui a verdadeira educação cristã, que são todos obrigados a dar às suas famílias.

A mesma lembrança fazemos aos mestres e lhes recordamos a obrigação gravíssima que têm eles diante de Deus de ensinar com a palavra e intimar com o exemplo essa doutrina sã e santa, que é o tesouro de nossa felicidade na terra e no céu, ainda que as leis civis os não obriguem, nem cogitem disso.

Possa este livrinho, que não sem algum trabalho nem pequenos sacrifícios compilamos e oferecemos a nossos filhos, concorrer eficazmente para dilatar o conhecimento e amor de Nosso Senhor Jesus Cristo e o respeito e obediência à sua Igreja, reformar os costumes, dar e perpetuar em nossa pátria da terra os bens inefáveis da paz, a união dos corações, a nobreza do caráter e a pureza dos costumes; de maneira que ela se torne imagem viva da pátria celeste para a qual trabalhamos e desejamos conduzir nossos filhos.

Oferecemos especialmente este livrinho às pessoas constituídas em elevadas posições sociais para que lhes seja de luz nas dificuldades, de conforto nas lutas, que devem arrostar o cumprimento de suas graves obrigações; porque, se seguirem por seus ditames, como somos todos obrigados, além de concorrerem para o bem social, merecerão uma coroa imortal, depois dos serviços prestados nesta vida.

Para feliz êxito de nossos esforços em derramar o ensino do catecismo por todas as classes muito confiamos na cooperação industriosa de todos os eclesiásticos e seculares de boa vontade, e particularmente no zelo de nossos párocos infatigáveis, aos quais de modo especial entregamos esta obra de salvação. Para todos eles imploramos de Deus os mais assinalados favores, do tempo e da eternidade, e a todos enviamos do fundo do coração nossa bênção pastoral.

Esta nossa carta coletiva será lida em todas as catedrais, matrizes, capelas, seminários, colégios e casas de educação de nossas dioceses. E depois de registrada no livro competente, será arquivada com os outros documentos, como é de obrigação.

Dada e passada aos 19 de outubro de 1905, Festa de São Pedro de Alcântara, patrono do Brasil.

† Joaquim, Arcebispo do Rio de Janeiro.

† Carlos, Bispo de Cuiabá.

† Claudio José, Bispo do Rio Grande do Sul.

† Silverio, Bispo de Mariana.

† José, Bispo de São Paulo.

† João, Bispo de Pouso Alegre.

† Fernando, Bispo do Espírito Santo.

† João, Bispo de Petrópolis.

† Duarte, Bispo de Curitiba.

† Joaquim, Bispo de Diamantina.

Terceiro catecismo
da doutrina cristã

Aprovado pelos senhores arcebispos e bispos das províncias eclesiásticas meridionais do Brasil

Persignar-se

Pelo sinal † da santa cruz, livrai-nos, Deus † Nosso Senhor, dos nossos † inimigos. Em nome do Pai e do Filho † e do Espírito Santo. Amém.

Credo

Creio em Deus Pai todo-poderoso, criador do céu e da terra. E em Jesus Cristo um só seu Filho, Nosso Senhor; o qual foi concebido do Espírito Santo, nasceu de Maria Virgem; padeceu sob o poder de Pôncio Pilatos, foi crucificado, morto e sepultado; desceu aos infernos, ao terceiro dia ressurgiu dos mortos; subiu aos céus, está sentado à mão direita de Deus Pai todo-poderoso; de onde há de vir julgar os vivos e os mortos; creio no Espírito Santo; na Santa Igreja Católica, na comunhão dos santos; na remissão dos pecados; na ressurreição da carne; na vida eterna. Amém.

Pai-nosso

Pai nosso, que estais no céu, santificado seja o vosso nome; venha a nós o vosso reino; seja feita a vossa vontade, assim na terra como no céu; o pão nosso de cada dia nos dai hoje; e perdoai-nos nossas dívidas, assim como nós perdoamos aos nossos devedores; e não nos deixeis cair em tentação; mas livrai-nos do mal. Amém.

Ave-Maria

Ave Maria, cheia de graça, o Senhor é convosco; bendita sois vós entre as mulheres, e bendito é o fruto do vosso ventre, Jesus. Santa Maria, Mãe de Deus, rogai por nós pecadores, agora e na hora de nossa morte. Amém.

Salve, Rainha

Salve, Rainha, Mãe de misericórdia, vida, doçura e esperança nossa, salve! A vós bradamos, os degradados filhos de Eva; a vós suspiramos, gemendo e chorando neste vale de lágrimas. Eia, pois, advogada nossa, esses vossos olhos misericordiosos a nós volvei; e depois deste desterro mostrai-nos Jesus, bendito fruto do vosso ventre, ó clemente, ó piedosa, ó doce sempre Virgem Maria. Rogai por nós, Santa Mãe de Deus, para que sejamos dignos das promessas de Cristo.

Mandamentos da Lei de Deus

Os mandamentos da Lei de Deus são dez: os três primeiros pertencem à honra de Deus e os outros sete ao proveito do próximo.

1º. Amar a Deus sobre todas as coisas[1];
2º. Não tomar o seu Santo Nome em vão;
3º. Guardar os domingos e festas;
4º. Honrar pai e mãe;
5º. Não matar;
6º. Não pecar contra a castidade;
7º. Não furtar;
8º. Não levantar falso testemunho;
9º. Não desejar a mulher do próximo;
10º. Não cobiçar as coisas alheias.

Estes dez mandamentos se encerram em dois: amar a Deus sobre todas as coisas e ao próximo como a nós mesmos.

---

[1] Parece-nos que devemos conservar ainda esta fórmula, tão profundamente tradicional entre nós, visto que é de todo o rigor teológico e traduz o perfeito sentido de *Dt* 6,5, a que aludem também os santos evangelhos.

Mandamentos da Igreja

Os mandamentos da Igreja são cinco:

1º. Ouvir missa inteira nos domingos e festas de guarda;

2º. Confessar-se ao menos uma vez a cada ano;

3º. Comungar ao menos pela Páscoa da Ressurreição;

4º. Jejuar e abster-se de carne, quando manda a Santa Madre Igreja;

5º. Pagar dízimos, segundo o costume.

Sacramentos

Os sacramentos instituídos por Jesus Cristo são sete:

1º. Batismo;

2º. Confirmação;

3º. Eucaristia;

4º. Penitência ou Confissão;

5º. Extrema-unção;

6º. Ordem;

7º. Matrimônio.

ATOS DE FÉ, ESPERANÇA, CARIDADE, CONTRIÇÃO E CONFISSÃO

Ato de fé

Eu creio firmemente que há um só Deus, em três pessoas realmente distintas, Pai, Filho e Espírito Santo; que dá o céu aos bons e o inferno aos maus para sempre. Creio que o Filho de Deus se fez homem, padeceu e morreu na cruz para nos salvar, e que ao terceiro dia ressuscitou. Creio tudo o mais que crê e ensina a Santa Igreja Católica Apostólica Romana, porque Deus, verdade infalível, o revelou. E nesta crença quero viver e morrer.

Ato de esperança

Eu espero, meu Deus, com firme confiança que pelos merecimentos de meu Senhor Jesus Cristo me dareis a salvação eterna, porque Vós, sumamente bom e poderoso, o haveis prometido a quem observar fielmente os vossos mandamentos, como eu proponho fazer com vosso auxílio.

Ato de caridade

Eu vos amo, meu Deus, de todo o meu coração e sobre todas as coisas, porque sois infinitamente bom e amável, e antes quero perder tudo que vos ofender. Por amor de Vós amo ao meu próximo como a mim mesmo.

Ato de atrição e contrição

Pesa-me, meu Deus, e sinto de todo o coração de vos haver ofendido, porque mereci o inferno e perdi o céu, e muito mais me pesa por haver ofendido a um Deus tão bom e tão grande como sois: proponho firmemente nunca mais pecar e fugir das ocasiões próximas de pecado.

Ato de contrição

Senhor meu Jesus Cristo, Deus e Homem verdadeiro, Criador e Redentor meu, por serdes Vós quem sois, sumamente bom e digno de ser amado sobre todas as coisas; e porque eu vos amo e estimo, pesa-me, Senhor, de todo o meu coração de vos ter ofendido; pesa-me também por ter perdido o céu e merecido o inferno; e proponho firmemente, ajudado com os auxílios de vossa divina graça, emendar-me e nunca mais vos tornar a ofender, e espero alcançar o perdão de minhas culpas pela vossa infinita misericórdia. Amém.

Confissão

Eu pecador me confesso a Deus todo-poderoso, à bem-aventurada sempre Virgem Maria, ao bem-aventurado São Miguel Arcanjo, ao bem-aventurado São João Batista, aos santos apóstolos Pedro e Paulo, a todos os santos (e a vós, padre), que pequei muitas vezes por pensamentos, palavras e obras, por minha culpa, minha culpa, minha máxima culpa. Portanto, peço e rogo à bem-aventurada sempre Virgem Maria, ao bem-aventurado São Miguel Arcanjo, ao bem-aventurado São João Batista, aos santos apóstolos Pedro e Paulo, a todos os santos (e a vós, padre) que rogueis por mim a Deus Nosso Senhor.

Lição I
Do sinal da cruz

P. És cristão?

R. Sim; sou cristão, pela graça de Deus.

P. Que é ser cristão?

R. Ser cristão é ser batizado, crer e professar a doutrina de Cristo.

P. Como é que o homem se faz cristão?

R. O homem se faz cristão pelo batismo.

P. Por que dizeis que sois cristão pela graça de Deus?

R. Digo que sou cristão pela graça de Deus porque ser cristão é um dom gratuito de Deus, dom que nunca podemos merecer.

P. Para ser bom cristão basta ser batizado, crer e professar a doutrina de Cristo?

R. Não; para ser bom cristão não basta ser batizado, crer e professar a doutrina de Cristo, mas é ainda mister prestar obediência e reverência aos legítimos pastores da Igreja.

P. Qual é o sinal do cristão?

R. O sinal do cristão é o sinal da cruz.

P. De quantos modos se faz o sinal da cruz?

R. O sinal da cruz se faz de dois modos: persignando-se e benzendo-se.

P. Que é persignar-se?

R. Persignar-se é fazer três cruzes com o dedo polegar da mão direita aberta: a primeira na testa, para que Deus nos livre dos maus pensamentos; a segunda na boca, para que Deus nos livre das más palavras; a terceira no peito, para que Deus nos livre das más obras, que nascem do coração, dizendo: "Pelo sinal † da santa cruz, livrai-nos Deus, † Nosso Senhor, dos nossos † inimigos".

P. Que é benzer-se?

R. Benzer-se é fazer uma cruz com a mão direita aberta, da testa ao peito e do ombro esquerdo ao direito, dizendo: "Em nome do Pai e do Filho † e do Espírito Santo. Amém".

P. Por que o sinal da cruz é o sinal do cristão?

R. O sinal da cruz é o sinal do cristão porque serve para distinguir os cristãos dos infiéis.

P. Que indica o sinal da cruz?

R. O sinal da cruz indica os principais mistérios da nossa fé.

P. Quais são os principais mistérios da nossa fé?

R. Os principais mistérios da nossa fé são: a Unidade e Trindade de Deus; a Encarnação, Paixão e Morte de Nosso Senhor Jesus Cristo.

P. Que quer dizer Unidade de Deus?

R. Unidade de Deus quer dizer que há um só Deus.

P. Que quer dizer Trindade de Deus?

R. Trindade de Deus quer dizer que em um só Deus há três pessoas iguais e realmente distintas: Pai, Filho e Espírito Santo.

P. Como é que o sinal da cruz indica o mistério da Unidade e Trindade de Deus?

R. O sinal da cruz indica o mistério da Unidade e Trindade de Deus porque dizendo em nome afirmamos que há um só Deus; dizendo do Pai e do Filho e do Espírito Santo, afirmamos que em Deus há três pessoas realmente distintas.

P. Que quer dizer Encarnação, Paixão e Morte de Nosso Senhor Jesus Cristo?

R. Encarnação, Paixão e Morte de Nosso Senhor Jesus Cristo querem dizer que a segunda pessoa da Santíssima Trindade se fez homem, padeceu e morreu por nós na cruz.

P. Como se indica esse mistério com o sinal da cruz?

R. O mistério da Encarnação, Paixão e Morte de Nosso Senhor Jesus Cristo se indica com o sinal da cruz porque a cruz que fazemos sobre o nosso corpo lembra que o Filho de Deus feito homem padeceu e morreu por nós na cruz.

P. É coisa útil fazer frequentemente o sinal da cruz?

R. Sim, fazer frequentemente o sinal da cruz é coisa utilíssima, contanto que se faça com piedade e devoção; porque este sinal tem a virtude de avivar a fé, expelir as tentações e alcançar de Deus muitas graças.

P. Quando devemos fazer o sinal da cruz?

R. Devemos fazer o sinal da cruz pela manhã, ao despertar; à noite, ao deitar-se; antes e depois das refeições; no princípio e no fim de qualquer trabalho; antes de começar a oração; nas tentações e nos perigos.

Lição II
Deus e o homem

P. Quem é Deus?

R. Deus é um espírito perfeitíssimo, criador e senhor do céu e da terra.

P. Foi Deus criado por alguém?

R. Não, Deus não foi criado por ninguém.

P. Onde está Deus?

R. Deus está no céu, na terra e em todo lugar.

P. Deus vê todas as coisas?

R. Deus vê todas as coisas e até os nossos pensamentos.

P. Deus vê também as coisas futuras?

R. Deus vê tudo ao mesmo tempo, o presente, o passado e o futuro.

P. Desde quando existe Deus?

R. Deus sempre existiu e sempre existirá.

P. Que se conclui destas perfeições de Deus?

R. Destas perfeições de Deus se conclui que Ele é um ente imutável, eterno e imenso.

P. Deus tem olhos, mãos e corpo como nós?

R. Não; Deus não tem olhos, nem mãos, nem corpo, porque é puríssimo espírito.

P. Se Deus não tem olhos, como vê as coisas?

R. Deus vê as coisas em sua infinita sabedoria.

P. Se Deus não tem mãos, como pôde fazer o mundo?

R. Deus fez o mundo com um ato onipotente de sua vontade.

P. De que fez Deus o mundo?

R. Deus fez o mundo do nada.

P. Que significam estas palavras: Deus fez o mundo do nada?

R. Estas palavras significam que, não existindo nada, Deus criou com um ato de sua vontade todas as coisas visíveis e invisíveis.

P. Podia Deus fazer um outro mundo?

Sim, Deus podia fazer muitos outros mundos, porque é onipotente.

P. Quem nos criou?

R. Foi Deus quem nos criou.

P. Para que fim Deus nos criou?

R. Deus criou-nos para o conhecer, amar e servir neste mundo, e depois gozá-lo para sempre no céu.

P. Qual a recompensa que Deus reserva para os que o amam e servem neste mundo?

R. Para os que amam e servem a Deus neste mundo está reservado o céu.

P. Que se goza no céu?

R. No céu goza-se da vista de Deus e de todos os bens sem mistura de mal.

P. Qual o castigo que Deus tem reservado para os que o não amam, nem servem neste mundo?

R. Para os que não amam nem servem a Deus neste mundo está reservado o castigo do inferno.

P. Que se sofre no inferno?

R. No inferno sofre-se a privação da vista de Deus, o fogo eterno e todos os males sem mistura de bem.

Lição III
Unidade e Trindade de Deus

P. Quantos deuses há?

R. Há um só Deus e não pode haver mais que um.

P. Quantas pessoas há em Deus?

R. Em Deus há três pessoas divinas, iguais e realmente distintas: o Pai, o Filho e o Espírito Santo.

P. Como se entende que existem em Deus três pessoas divinas, iguais e realmente distintas?

R. É este um mistério que não podemos penetrar, mas que devemos crer, porque o mesmo Deus nos revelou.

P. Como se chama esse mistério?

R. Chama-se mistério da Santíssima Trindade.

P. Que queremos significar com estas palavras Santíssima Trindade?

R. Com estas palavras *Santíssima Trindade* queremos significar o mistério de um só Deus em três pessoas realmente distintas.

P. Que quer dizer: três pessoas realmente distintas?

R. *Três pessoas realmente distintas* quer dizer que uma pessoa não é a outra; isto é, que o Pai não é o Filho, que o Filho não é o Espírito Santo, que o Espírito Santo não é o Pai nem o Filho.

P. Qual é a primeira pessoa da Santíssima Trindade?

R. A primeira pessoa da Santíssima Trindade é o Pai.

P. Qual é a segunda pessoa da Santíssima Trindade?

R. A segunda pessoa da Santíssima Trindade é o Filho.

P. Qual é a terceira pessoa da Santíssima Trindade?

R. A terceira pessoa da Santíssima Trindade é o Espírito Santo.

P. Por que é o Pai a primeira pessoa da Santíssima Trindade?

R. O Pai é a primeira pessoa da Santíssima Trindade porque não procede de outra pessoa, mas é o princípio das outras duas pessoas.

P. Por que é o Filho a segunda pessoa da Santíssima Trindade?

R. O Filho é a segunda pessoa da Santíssima Trindade porque é gerado pelo Pai.

P. Por que é o Espírito Santo a terceira pessoa da Santíssima Trindade?

R. O Espírito Santo é a terceira pessoa da Santíssima Trindade porque procede do Pai e do Filho.

P. O Pai é Deus?

R. Sim, o Pai é Deus.

P. O Filho é Deus?

R. Sim, o Filho é Deus.

P. O Espírito Santo é Deus?

R. Sim, o Espírito Santo é Deus.

P. Se cada uma destas três pessoas é Deus, segue-se que as três pessoas são três deuses?

R. As três pessoas da Santíssima Trindade não são três deuses, mas são um só Deus.

P. Por que as três pessoas da Santíssima Trindade são um só Deus?

R. As três pessoas da Santíssima Trindade são um só Deus porque todas as três têm uma só e a mesma natureza divina.

P. Qual das três pessoas da Santíssima Trindade é a maior, a mais poderosa e a mais sábia?

R. As pessoas da Santíssima Trindade são todas iguais, porque todas têm a mesma natureza divina, a mesma grandeza, o mesmo poder e a mesma sabedoria.

P. Não existiu o Pai antes do Filho e antes do Espírito Santo?

R. Não, o Pai não existiu antes do Filho nem antes do Espírito Santo, porque todas estas três divinas pessoas são igualmente eternas.

Lição IV
Encarnação, Paixão, Morte e Ressurreição
do Filho de Deus

P. Qual das três pessoas da Santíssima Trindade se fez homem?

R. Fez-se homem a segunda pessoa da Santíssima Trindade, isto é, o Filho.

P. Como se fez homem o Filho de Deus?

R. O Filho de Deus fez-se homem tomando um corpo e uma alma, como nós, nas puríssimas entranhas da Virgem Maria, por obra do Espírito Santo.

P. Como se chama este mistério?

R. Chama-se mistério da Encarnação.

P. Que quer dizer a palavra encarnação?

R. A palavra encarnação quer dizer que o Filho de Deus se fez homem, tomando um corpo e uma alma, como nós temos.

P. O Pai e o Espírito Santo encarnaram também?

R. Não, o Pai e o Espírito Santo não encarnaram, encarnou somente o Filho.

P. Quando o Filho de Deus se fez homem, deixou de ser Deus?

R. Não, o Filho de Deus, quando se fez homem, não deixou de ser Deus; permaneceu verdadeiro Deus e começou a ser também verdadeiro homem.

P. Jesus Cristo existiu sempre?

R. Jesus Cristo, como Deus, existiu sempre; como homem, começou a existir desde o momento da encarnação.

P. Quem é Jesus Cristo?

R. Jesus Cristo é o Filho de Deus feito homem.

P. Quem é o pai de Jesus Cristo?

R. O pai de Jesus Cristo é somente o Pai Eterno, porque o mesmo Filho de Deus, gerado quanto à divina natureza pela primeira pessoa da Santíssima Trindade, foi, quanto à natureza humana, concebido no seio da Virgem Maria por obra e graça do Espírito Santo.

P. Não teve Jesus Cristo também um pai na terra?

R. Não, Jesus Cristo não teve pai terreno, mas somente mãe, que é a Virgem Maria.

P. Mas então São José não foi pai de Jesus Cristo?

R. Não, São José não foi pai de Jesus Cristo, mas somente guarda, e desempenhou para com Ele todos os deveres de pai.

P. Por que se fez homem o Filho de Deus?

R. O Filho de Deus se fez homem para nos salvar.

P. Não nos podíamos salvar por nós mesmos se o Filho de Deus não se tivesse feito homem?

R. Não. Se o Filho de Deus não se tivesse feito homem, nós por nós mesmos não nos podíamos salvar, porque pelo pecado de Adão fomos excluídos para sempre do céu e nos tornamos escravos do demônio.

P. Qual foi o pecado de Adão?

R. O pecado de Adão foi uma desobediência grave.

P. Que danos nos causou o pecado de Adão?

R. O pecado de Adão trouxe-nos a privação da graça de Deus, a ignorância, a inclinação para o mal, a morte e todas as outras misérias que acompanham o homem.

P. Onde nasceu Jesus Cristo?

R. Jesus Cristo nasceu em Belém e foi colocado em um presépio.

P. Que fez Jesus Cristo para nos salvar?

R. Jesus Cristo para nos salvar padeceu e morreu na cruz.

P. Jesus Cristo padeceu e morreu enquanto Deus ou enquanto homem?

R. Jesus Cristo padeceu e morreu enquanto homem, porque enquanto Deus não podia padecer nem morrer.

P. Depois da morte de Jesus Cristo, que fizeram de seu corpo?

R. Depois da morte de Jesus Cristo, seu corpo foi sepultado.

P. Para onde foi a alma de Jesus Cristo depois da morte?

R. Depois da morte de Jesus Cristo, sua alma baixou ao *limbo* para visitar e livrar as almas dos patriarcas e dos outros justos que ali esperavam sua vinda.

P. Quantos dias Jesus Cristo esteve morto?

R. Jesus Cristo esteve morto três dias incompletos, a saber: parte da sexta-feira, todo o dia de sábado e parte do domingo.

P. Que fez Jesus Cristo ao terceiro dia depois de sua morte?

R. Jesus Cristo, ao terceiro dia depois de sua morte, ressuscitou glorioso e triunfante, para nunca mais morrer.

P. Que quer dizer: Jesus Cristo ressuscitou?

R. Quer dizer que a alma de Jesus Cristo se uniu de novo a seu corpo.

P. Em que dia ressuscitou Jesus Cristo?

R. Jesus Cristo ressuscitou no dia de Páscoa ao amanhecer.

P. Quantos dias esteve Jesus Cristo no mundo depois de sua Ressurreição?

R. Jesus Cristo, depois de sua Ressurreição, demorou-se no mundo 40 dias, para confirmar seus discípulos na fé.

P. Depois destes 40 dias, para onde foi Jesus Cristo?

R. Depois destes 40 dias, Jesus Cristo subiu aos céus, onde está sentado à direita de Deus Pai todo-poderoso.

P. Em que dia Jesus Cristo mandou o Espírito Santo a seus apóstolos?

R. Jesus Cristo mandou o Espírito Santo a seus apóstolos no Dia de Pentecostes, isto é, dez dias depois da sua Ascensão, ou de sua subida aos céus, e cinquenta dias depois de sua Ressurreição.

P. Onde está Jesus Cristo?

R. Jesus Cristo, enquanto Deus, está em todo lugar; enquanto Homem-Deus está no céu e no Santíssimo Sacramento do Altar.

Lição V
Da vinda de Jesus Cristo no fim do mundo: do juízo particular e universal

P. Jesus Cristo voltará outra vez ao mundo visivelmente?

R. Sim. Jesus Cristo voltará outra vez ao mundo visivelmente.

P. Que virá fazer no mundo Jesus Cristo?

R. Jesus Cristo virá julgar os vivos e os mortos, isto é, todos os homens, bons e maus.

P. Sobre o que nos julgará Jesus Cristo?

R. Jesus Cristo há de julgar-nos sobre o bem e o mal que tivermos praticado.

P. Que acontecerá à nossa alma, logo depois da morte?

R. Logo depois da morte, nossa alma se apresentará ao tribunal de Jesus Cristo para lhe dar contas de suas obras.

P. Haverá então dois juízos?

R. Sim, haverá dois juízos: um, particular, logo depois da morte; outro, universal, no fim do mundo.

P. Que será da alma depois do juízo particular?

R. Depois do juízo particular, se a alma se achar na graça de Deus, sem pena alguma a satisfazer, irá logo para o céu; se lhe restar algum pecado venial ou alguma pena a descontar, irá para o purgatório, antes de ser recebida no céu; se por desgraça estiver manchada de pecado mortal, será condenada ao inferno.

P. Que é o purgatório?

R. O purgatório é um lugar de expiação para as almas que, estando na graça de Deus, não se acham, contudo, inteiramente livres perante a justiça divina.

P. Podemos aliviar o sofrimento das almas do purgatório?

R. Sim, podemos aliviar o sofrimento das almas do purgatório com orações, indulgências, esmolas e, sobretudo, com o Santo Sacrifício da Missa.

P. Nosso corpo ressuscitará um dia?

R. Sim, nosso corpo ressuscitará no dia do juízo universal.

P. Para onde irá então nosso corpo?

R. Se nosso corpo foi companheiro da alma na prática do bem e das virtudes, irá com ela para o céu; se, pelo contrário, foi companheiro da alma na prática do pecado e das más obras, irá com ela para o inferno.

P. É certo que existe o inferno?

R. Sim, é certo que existe o inferno, porque assim nos ensina a fé.

P. Por quanto tempo os bons estarão no céu?

R. Os bons estarão no céu por toda a eternidade.

P. E por quanto tempo os maus estarão no inferno?

R. Os maus estarão no inferno também por toda a eternidade.

P. Pode-se merecer o inferno por um só pecado?

R. Sim, pode-se merecer o inferno por um só pecado mortal.

P. Todos os homens são criados para o céu?

R. Sim, todos os homens são criados para o céu.

P. Por que não vão para o céu todos os homens?

R. Todos os homens não vão para o céu porque nem todos fazem o que devem para se salvarem.

P. Que deve fazer o homem para se salvar?

R. Para se salvar o homem deve crer em Jesus Cristo e viver segundo os mandamentos de Deus e da Igreja.

Lição VI
Da doutrina cristã

P. Que é a doutrina cristã?

R. A doutrina cristã é a doutrina que Nosso Senhor Jesus Cristo ensinou para nos dirigir pelo caminho da salvação.

P. É de necessidade aprender a doutrina que Jesus Cristo ensinou?

R. Sim, é certamente de necessidade aprender a doutrina que Jesus Cristo ensinou; e pecam gravemente os que se descuidam de a aprender.

P. Os pais de família e os patrões são obrigados a mandar ao catecismo seus filhos e empregados ou a procurar que o aprendam?

R. Sim, os pais de família e os patrões são obrigados a mandar seus filhos e empregados ao catecismo ou, quando não possam mandá-los, a procurar que aprendam a doutrina cristã, e cometerão pecado grave se por negligência faltarem a esta obrigação.

P. De quem havemos de receber e aprender a doutrina cristã?

R. Havemos de receber e aprender a doutrina cristã da Santa Igreja Católica, que recebeu de Jesus Cristo o encargo de a ensinar.

P. Temos certeza que é verdadeira a doutrina cristã que recebemos da Igreja Católica?

R. Sim. Temos certeza que é verdadeira a doutrina cristã que recebemos da Igreja Católica, porque Jesus Cristo, divino autor dessa doutrina, por meio de seus apóstolos, a confiou à Igreja que ele fundou e constituiu mestra infalível de todos os homens, prometendo-lhe sua assistência até o fim dos séculos.

P. Existem outras provas da verdade da doutrina cristã?

R. Sim, a verdade da doutrina cristã demonstra-se também pela santidade eminente de tantos varões que a professaram e professam; pela sua rápida e admirável propagação no mundo e pela sua continuação através de tantos séculos de várias e constantes lutas.

P. Quantas e quais são as partes principais e mais necessárias da doutrina cristã?

R. As partes principais e mais necessárias da doutrina cristã são quatro, a saber: o *Credo* ou *Símbolo dos Apóstolos*; o *Pai-nosso* ou *Oração Dominical*; os dez *mandamentos* da Lei de Deus, e os sete *sacramentos*.

P. Que nos ensina o Credo?

R. O *Credo* ensina-nos os principais artigos de nossa fé.

P. Que nos ensina o Pai-nosso?

R. O *Pai-nosso* ensina-nos tudo o que devemos esperar de Deus e tudo o que lhe devemos pedir.

P. Que nos ensinam os dez mandamentos da Lei de Deus?

R. Os dez mandamentos da Lei de Deus ensinam--nos tudo o que devemos fazer para agradar a Deus; o que se resume em *amar a Deus sobre todas as coisas e ao próximo como a nós mesmos*, por amor de Deus.

P. Que nos ensina a doutrina dos sete sacramentos?

R. A doutrina dos sete sacramentos ensina--nos a conhecer a natureza e o modo de usar dos meios que Jesus Cristo instituiu para nos perdoar os pecados, nos comunicar sua graça e infundir e aumentar em nós as virtudes da *fé*, da *esperança* e da *caridade*.

Lição VII
Das virtudes teologais

Como a lei divina se há de observar por meio das virtudes, convém dar uma noção sobre elas, antes de entrar nas diferentes partes do catecismo.

P. Que é virtude?

R. Virtude, em geral, é o hábito que nos facilita a prática do bem. Virtude sobrenatural é um hábito sobrenatural, infundido por Deus, que dispõe as faculdades da alma para praticar atos sobrenaturais.

P. Quantas são as virtudes principais?

R. As virtudes principais são sete: *três teologais e quatro cardeais*.

P. Quais são as virtudes teologais?

R. As virtudes teologais são: *fé, esperança* e *caridade*, e chamam-se teologais porque têm a Deus por objeto imediato e principal e é Deus quem no-las infunde.

P. Quais são as virtudes cardeais?

R. As virtudes cardeais são: prudência, justiça, temperança e fortaleza; e chamam-se cardeais porque nelas se contém ou a elas se referem as demais virtudes morais e boas obras.

Aqui tratamos das virtudes teologais; as cardeais vão explicadas em outra parte do catecismo.

§1º – Da fé

P. Quais são as virtudes próprias do cristão, sem as quais é impossível salvar-se?

R. As virtudes próprias do cristão, sem as quais ele não se poderá salvar, são três: fé, esperança e caridade.

P. Que é a fé?

R. A fé é uma virtude sobrenatural infusa em nossa alma, pela qual cremos firmemente todas as verdades reveladas por Deus e propostas pela Igreja.

P. Como chegamos a conhecer as verdades reveladas por Deus?

R. Chegamos a conhecer as verdades reveladas por Deus por meio da Santa Igreja, a quem Deus confiou o sagrado depósito da revelação.

P. Podemos nós compreender todas as verdades da fé?

R. Não, nós não podemos compreender todas as verdades da fé porque algumas delas são mistérios.

P. Que são mistérios?

R. Mistérios são verdades que excedem a força de nossa razão, as quais devemos crer porque Deus no-las revelou.

P. Por que devemos crer nos mistérios?

R. Devemos crer nos mistérios porque foram revelados por Deus que, sendo *verdade e bondade infinitas*, não nos pode enganar nem ser enganado.

P. Para nos salvar basta crer em geral e em confuso todas as verdades da fé?

R. Não, para nos salvar não basta crer somente em geral e em confuso todas as verdades da fé, porque há algumas verdades que todos os cristãos devem crer com ato de fé explícita e particular, como são: a existência de um Deus remunerador, a Unidade e Trindade de Deus, a Encarnação, Paixão e Morte de Nosso Senhor e ainda outras verdades.

P. Onde se encontram as principais verdades que Deus revelou à Santa Igreja?

R. As principais verdades que Deus revelou à Santa Igreja acham-se no Símbolo dos Apóstolos, vulgarmente chamado *Credo*.

§2º – Da esperança

P. Que é a esperança?

R. A esperança é uma virtude sobrenatural, infusa em nossa alma, pela qual confiamos alcançar de Deus a vida eterna e os meios necessários para consegui-la.

P. Por que devemos esperar de Deus o céu e os auxílios para consegui-lo?

R. Devemos esperar de Deus o céu e os auxílios necessários para consegui-lo porque Deus, por sua misericórdia, em vista dos merecimentos de Nosso Senhor Jesus Cristo, o prometeu aos que fielmente o servissem, e sendo Ele fidelíssimo e onipotente, cumprirá sua promessa.

§3º – Da caridade

P. Que é a caridade?

R. A caridade é uma virtude sobrenatural, infusa em nossa alma, pela qual amamos a Deus sobre todas as coisas e ao próximo como a nós mesmos, por amor de Deus.

P. Por que devemos amar a Deus?

R. Devemos amar a Deus não só porque Ele nos ordena e pelos muitos benefícios que nos tem feito e continua a fazer, mas principalmente porque Ele é o sumo bem, infinitamente bom e perfeito.

P. Por que devemos amar o próximo como a nós mesmos?

R. Devemos amar o próximo como a nós mesmos porque Deus nos ordena e porque todos somos irmãos, filhos de Deus, e feitos à sua imagem e semelhança.

P. Somos obrigados a amar também os inimigos?

R. Sim. Somos obrigados a amar também os inimigos, porque eles são também nosso próximo e porque Jesus Cristo nos faz um especial mandamento.

§4º – Do exercício dos atos de fé,
de esperança e de caridade

P. Devemos fazer atos de fé, de esperança e de caridade?

R. Sim. Devemos fazer os atos de fé, de esperança e de caridade quando tivermos chegado ao uso da razão, em perigo de morte, muitas vezes na vida e particularmente quando for necessário para vencermos alguma tentação ou para cumprirmos certas outras obrigações.

P. É proveitoso repetir esses atos frequentemente?

R. Sim, é muito proveitoso ao cristão repetir frequentemente os atos de fé, de esperança e de caridade: 1º) para mais facilmente conservar estas virtudes tão necessárias; 2º) para aumentá-las e fortalecê-las na alma; 3º) para manifestá-las externamente; 4º) para lucrar muitas indulgências.

P. Bastará proferir esses atos com a boca?

R. Não; não basta proferir esses·atos com a boca, mas devemos fazê-lo com atenção e devoção.

P. Poderemos nós somente com as nossas forças fazer esses e outros atos de virtude cristã?

R. Não, nós não podemos somente com as nossas forças fazer esses e outros atos de virtude cristã, mas temos necessidade do auxílio da graça, que Deus nos concede sempre que lhe pedimos de coração.

P. Qual é a maior e a mais excelente das virtudes teologais?

R. A maior e a mais excelente das virtudes teologais é a caridade, que nos une com Deus, dá-nos a sua graça e o direito ao céu.

P. Quando se conhece que possuímos a caridade?

R. Conhece-se que possuímos a caridade quando observamos fielmente os mandamentos de Deus.

PARTE I
DO SÍMBOLO DOS APÓSTOLOS,
VULGARMENTE CHAMADO "CREDO"

Lição I

P. Qual é a primeira parte da doutrina cristã?

R. A primeira parte da doutrina cristã é o Símbolo dos Apóstolos, vulgarmente chamado *Credo*, que é o compêndio das coisas principais que devemos crer.

P. Por que chamais o Credo de Símbolo dos Apóstolos?

R. A palavra *símbolo* significa *distintivo*, e assim chama o Credo símbolo, porque é um *distintivo* ou *sinal* pelo qual se distinguem os cristãos dos infiéis, e chama-o também *Símbolo dos Apóstolos*, porque contém as principais verdades da fé ensinadas e transmitidas pelos apóstolos.

P. Quantos artigos contém o Credo?

R. O Credo contém 12 artigos.

P. Dize os doze artigos do Credo.

1º. Creio em Deus Pai todo-poderoso, criador do céu e da terra;

2º. Em Jesus Cristo, um só seu Filho, Nosso Senhor;

3º. O qual foi concebido do Espírito Santo, nasceu de Maria Virgem;

4º. Padeceu sob o poder de Pôncio Pilatos, foi crucificado, morto e sepultado;

5º. Desceu aos infernos, ao terceiro dia ressurgiu dos mortos;

6º. Subiu aos céus, está sentado à mão direita de Deus Pai todo-poderoso;

7º. De onde há de vir a julgar os vivos e os mortos;

8º. Creio no Espírito Santo;

9º. Na Santa Igreja Católica, a comunhão dos santos;

10º. Na remissão dos pecados;

11º. Na ressurreição da carne;

12º. Na vida eterna. Amém.

P. Que quer dizer a palavra "creio" que dizeis no princípio do símbolo"?

R. A palavra "creio" quer dizer: tenho por certíssimo e infalível tudo quanto se contém nestes doze artigos.

P. Por que crês tão firmemente nestes artigos e em todas as outras verdades que crê e ensina a Santa Igreja Católica?

R. Creio firmemente nestes artigos e em todas as outras verdades que crê e ensina a Santa Igreja Católica porque estas verdades foram todas reveladas por Deus, que não pode enganar nem ser enganado.

P. Que contém estes artigos?

R. Estes artigos contêm tudo o que principalmente devemos crer a respeito de Deus, de Jesus Cristo e da Igreja, sua Esposa.

P. É coisa muito útil dizer frequentemente o Credo?

R. Sim, é coisa utilíssima dizer frequentemente o Credo, para gravar no coração sempre mais os artigos da fé.

Lição II
Do primeiro artigo do Símbolo

§1º – De Deus Pai e da criação

P. Que nos ensina o primeiro artigo do Símbolo: creio em Deus Pai todo-poderoso, Criador do céu e da terra?

R. O primeiro artigo do Símbolo ensina-nos:

1º Que há um só Deus todo-poderoso;

2º Que em Deus há três pessoas realmente distintas, das quais a primeira é o Pai;

3º Que Deus criou o céu e a terra, e todas as coisas que existem no céu e na terra.

P. Como sabemos que Deus existe?

R. Sabemos que Deus existe porque o demonstra a nossa razão e a fé o confirma.

P. Por que é que no Símbolo a primeira pessoa da Santíssima Trindade se chama Pai?

R. A primeira pessoa da Santíssima Trindade chama-se Pai:

1º Porque por natureza é pai da segunda pessoa, isto é, do Filho por Ele gerado;

2º Porque Deus é pai de todos os homens, pois Ele os criou, e os conserva e governa;

3º Porque Deus por especial benevolência é pai dos bons cristãos, os quais por isso se chamam filhos adotivos de Deus.

P. Por que o Pai é a primeira pessoa da Santíssima Trindade?

R. O Pai é a primeira pessoa da Santíssima Trindade porque não procede de nenhuma outra pessoa, mas é princípio das outras duas pessoas, a saber: do Filho e do Espírito Santo.

P. Que quer dizer a palavra todo-poderoso?

R. *Todo-poderoso* quer dizer que Deus pode fazer tudo o que quer.

P. Deus não pode pecar; como se diz então que Deus pode tudo?

R. Diz-se que Deus pode tudo, ainda que não possa *pecar*, porque poder pecar não é efeito de potência, mas de fraqueza; não é uma perfeição, mas uma imperfeição que não pode existir em Deus, que é perfeitíssimo.

P. Que quer dizer: Criador do céu e da terra?

R. *Criar* quer dizer fazer do nada; diz-se, pois, que Deus é o Criador do céu e da terra, porque fez do nada o céu e a terra e todas as coisas que se contêm no céu e na terra.

P. O mundo foi criado somente pelo Pai?

R. O mundo foi criado igualmente por todas as três pessoas divinas, porque tudo o que faz uma pessoa em relação às criaturas, também o fazem com o mesmo ato as outras duas pessoas.

P. Por que então se atribui a criação particularmente ao Pai?

R. Atribui-se a criação particularmente ao Pai porque a criação do mundo é efeito da divina onipotência, a qual se atribui especialmente ao Pai; como se atribui a sabedoria ao Filho e a bondade ao Espírito Santo, posto que todas as três pessoas tenham a mesma onipotência, a mesma sabedoria e a mesma bondade.

P. Por que se atribui ao Pai a onipotência, ao Filho a sabedoria e a bondade ao Espírito Santo?

R. Ao Pai atribui-se a onipotência porque, não procedendo de nenhum princípio, é dele que procedem o Filho e o Espírito Santo; ao Filho a sabedoria porque, gerado pela inteligência do Pai, é o Verbo de Deus; ao Espírito Santo a bondade, porque procede do amor do Pai e do Filho.

P. Tem Deus cuidado do mundo e de todas as coisas que Ele criou?

R. Sim. Deus conserva o mundo e todas as criaturas, governa-as com sua infinita bondade e sabedoria, e nada acontece no mundo que Ele não o queira ou não o permita.

P. Por que se diz que nada sucede no mundo que Deus não o queira ou não o permita?

R. Diz-se que nada sucede no mundo que Deus não o queira ou não o permita porque há coisas que Deus quer e ordena; outras, que não as impede ou simplesmente permite, como o pecado.

P. Deus não impede o pecado?

R. Não, Deus não o impede pecado, porque até do abuso da liberdade sabe tirar o bem e fazer brilhar sua misericórdia ou sua justiça.

§2º – Dos anjos

P. Quais foram as criaturas mais perfeitas que Deus criou?

R. As criaturas mais perfeitas que Deus criou foram os anjos e os homens.

P. Para que fim criou Deus os anjos e os homens?

R. Deus criou os anjos e os homens para ser por eles conhecido e honrado e para fazê-los eternamente felizes.

P. Que forma e figura têm os anjos?

R. Os anjos não têm forma nem figura alguma sensível, porque são puros espíritos, criador por Deus para subsistirem sem estar unidos a corpo algum.

P. Por que são então representados os anjos debaixo de formas sensíveis?

R. Os anjos são representados debaixo de formas sensíveis:

1º. Para auxílio de nossa imaginação;

2º. Porque assim aparecem muitas vezes aos homens, como se lê na Escritura Sagrada.

P. Todos os anjos gozam de felicidade eterna?

R. Não, muitíssimos anjos gozam de felicidade eterna, porque se conservaram fiéis a Deus, e chamam-se anjos bons, espíritos celestes ou simplesmente anjos; outros muitíssimos, porém, não gozam da felicidade eterna.

P. Por que razão muitos anjos não gozam da felicidade eterna?

R. Muitos anjos não gozam da felicidade eterna porque quiseram por orgulho ser semelhantes a Deus, e não depender dele; por isso foram expulsos para sempre do paraíso e condenados ao inferno; estes chamam-se *diabos* ou *demônios*, e o chefe deles é Lúcifer ou satanás.

P. Os demônios podem fazer-nos algum mal?

R. Sim, os demônios podem fazer-nos muito mal, se Deus lhes der permissão, principalmente tentando-nos para pecar.

P. Por que nos tentam os demônios?

R. Os demônios nos tentam para fazer-nos cair no pecado, arrastar-nos à condenação eterna e para sermos atormentados em sua companhia.

P. Como podemos vencer as tentações?

R. Podemos vencer as tentações com a vigilância, com a oração, com a mortificação cristã e uso frequente dos sacramentos.

P. Que fazem os anjos no céu?

R. Os anjos no céu veem, amam, bendizem e louvam a Deus por toda a eternidade, no que consiste a sua suprema felicidade.

P. Confiou Deus a seus anjos a missão de velar sobre nós?

R. Sim, Deus confiou aos anjos a missão de velar sobre nós, e deu a cada um de nós um anjo tutelar, que se chama *anjo da guarda*.

P. Quais são nossas obrigações para com o anjo da guarda?

R. Ao nosso anjo da guarda devemos respeitar, honrar, invocar e seguir suas inspirações.

§3º – Do homem

P. Dize-me agora o que é o homem?

R. O homem é uma criatura racional composta de alma espiritual e imortal e de corpo.

P. Por que se chama o homem criatura racional?

R. O homem se chama criatura racional porque sua alma, sendo espiritual, pensa e raciocina; isto é, conhece e compreende o que faz e por que o faz.

P. O homem é livre de fazer o que faz?

R. Sim, o homem é livre de fazer o que faz e tem convicção de que poderia não o fazer.

P. Explica com um exemplo a liberdade humana.

R. Sim, por exemplo, digo voluntariamente uma mentira, tenho convicção de que poderia não a dizer ou calar-me, e que poderia também falar outras coisas e dizer a verdade.

P. Por que se diz que o homem foi criado à imagem e semelhança de Deus?

R. Porque o próprio Deus disse que criara o homem à sua imagem e semelhança, dando-lhe uma alma inteligente, livre e imortal.

P. Em que estado criou Deus nossos primeiros pais, Adão e Eva?

R. Deus criou Adão e Eva no estado de graça, inocência e imortalidade.

P. Adão e Eva conservaram o estado de graça?

R. Não. Adão e Eva não conservaram o estado de graça, mas perderam-no pelo pecado.

P. Por qual pecado Adão e Eva perderam a inocência?

R. Adão e Eva perderam a inocência pelo pecado de grave desobediência a Deus.

P. Que castigo teve o pecado de Adão e Eva?

R. Adão e Eva, em castigo de seu pecado, perderam a graça de Deus e o direito que tinham ao céu; foram expulsos do paraíso terreal, expostos a muitas misérias na alma e no corpo, e condenados a morrer.

P. Se Adão e Eva não tivessem pecado, teriam ficado isentos de morrer?

R. Sim, bastar-lhes-ia o fruto da árvore da vida para conservarem a vida imortal.

P. O pecado de Adão causou danos a ele somente?

R. Não, o pecado de Adão danificou a todo o gênero humano.

P. Que danos nos causou esse pecado?

R. Os danos causados pelo pecado de Adão são: a privação da graça, a perda do paraíso, a ignorância, a inclinação para o mal, a morte e todas as outras misérias.

P. Como se chama o pecado de Adão?

R. O pecado de Adão chama-se original, porque, tendo sido cometido por vontade de Adão, origem de toda a humanidade, se transmite a todos os seus descendentes por geração natural.

P. Então esse pecado não é só de Adão, mas é também nosso?

R. Sim, esse pecado não é só de Adão, mas é também nosso, porém de modo diverso. É de Adão, porque ele o cometeu com um ato de sua vontade e por isso lhe é pessoal.

É nosso, porque tendo Adão pecado como cabeça e tronco do gênero humano, esse pecado se transmitiu por geração natural a todos os seus descendentes, e por isso é para nós pecado original.

P. Por que se transmitiu a todos os homens o pecado de Adão?

R. O pecado de Adão transmitiu-se a todos os homens porque, tendo sido toda a natureza humana elevada em Adão à ordem sobrenatural por meio da graça santificante, Adão perdeu pelo pecado esta graça para si e para nós, que por isso nascemos filhos da ira.

P. Todos os homens contraem o pecado original?

R. Sim, todos os homens contraem o pecado original; foi por Deus exceptuada a Santíssima Virgem que, por singular privilégio, ficou preservada desse mal de origem, na previsão dos merecimentos de Jesus Cristo Salvador.

P. Como se apaga o pecado original?

R. O pecado original se apaga pelo batismo.

P. Mas então, depois do pecado de Adão, os homens não se podiam salvar?

R. Não, depois do pecado de Adão os homens não se podiam salvar, se Deus não tivesse usado de misericórdia com eles.

P. Qual foi a misericórdia que Deus usou com o gênero humano?

R. A misericórdia que Deus usou com o gênero humano foi prometer imediatamente a Adão o Redentor Divino, o Messias, e mandá-lo em tempo oportuno, para livrar os homens da escravidão do demônio e do pecado.

P. O Messias levou muito tempo para vir?

R. O Messias levou mais de 4 mil anos para vir.

P. Quem é o Messias?

R. O Messias prometido é Jesus Cristo, como nos ensina o segundo artigo do *Credo*.

Lição III
Do segundo artigo do Símbolo

P. Que nos ensina o segundo artigo: e em Jesus Cristo um só seu Filho Nosso Senhor?

R. O segundo artigo nos ensina:

1º. Que o Filho de Deus é a segunda pessoa da Santíssima Trindade;

2º. Que é também Deus eterno, onipotente, criador e senhor nosso como o Pai;

3º. Que se fez homem para nos salvar;

4º. Que o Filho de Deus feito homem se chama Jesus Cristo.

P. Por que a segunda pessoa da Santíssima Trindade se chama Filho?

R. A segunda pessoa da Santíssima Trindade chama-se Filho porque foi gerado *ab aeterno* pelo Pai.

P. Por que se chama um só seu Filho; nós não somos também filhos de Deus?

R. Chama-se um só seu Filho porque somente Ele é, por natureza, Filho de Deus; nós o somos tão somente por criação e por adoção.

P. Por que o Filho de Deus feito homem se chama Jesus?

R. O Filho de Deus feito homem chama-se Jesus, que quer dizer *Salvador*, porque nos salvou da morte eterna, merecida pelos nossos pecados.

P. Por que se chama também Cristo?

R. O Filho de Deus feito homem chama-se também Cristo que quer dizer *ungido* ou *sagrado*, porque antigamente se ungiam os reis, os sacerdotes e os profetas; e Jesus é Rei dos reis, Sumo Sacerdote e Sumo Profeta.

P. Jesus foi também verdadeiramente ungido e sagrado, como os outros, com unção corporal?

R. Não, a unção de Jesus Cristo é a divindade que nele habita.

P. Por que se diz que Jesus Cristo é Nosso Senhor?

R. Diz-se que Jesus Cristo é Nosso Senhor:

1º. Porque, como Deus, Ele é Nosso Senhor como o Pai;

2º. Porque também, como homem, Ele é Nosso Senhor, pois nos resgatou da escravidão do demônio com o preço de seu sangue.

P. Tiveram os homens alguma notícia de Jesus Cristo antes de sua vinda?

R. Sim, os homens tiveram notícia de Jesus Cristo antes de sua vinda pela promessa do Messias que Deus fez aos nossos progenitores, Adão e Eva, promessa renovada aos patriarcas; e pelas profecias e figuras que o designavam.

P. Por onde sabemos que Jesus Cristo é verdadeiramente o Messias e o Redentor prometido?

R. Sabemos que Jesus Cristo é verdadeiramente o Messias e o Redentor prometido porque nele se cumpriu:

1º. Tudo o que anunciaram as profecias;

2º. Tudo o que representavam as figuras do Antigo Testamento.

P. Que diziam as profecias a respeito do Redentor?

R. As profecias diziam a tribo e a família de onde havia de sair o Redentor; o lugar e o tempo de seu nascimento; seus milagres, as menores circunstâncias de sua paixão e morte; sua ressurreição e ascensão aos céus; seu reino espiritual, universal e perpétuo, que é a Igreja Católica.

P. Quais foram as principais figuras do Redentor no Antigo Testamento?

R. As principais figuras do Redentor no Antigo Testamento foram o inocente Abel; o Sumo Sacerdote Melquisedeque; o sacrifício de Isaac; José vendido pelos irmãos; o Profeta Jonas; o cordeiro pascal; a serpente de bronze levantada por Moisés no deserto.

P. Por onde sabemos que Jesus Cristo é verdadeiro Deus?

R. Sabemos que Jesus Cristo é verdadeiro Deus pelo testemunho do Eterno Pai quando disse:

1º. Este é meu filho dileto no qual pus minha complacência, ouvi-o;

2º. Pelo testemunho do mesmo Jesus Cristo, confirmado pelos mais estupendos milagres;

3º. Pela doutrina dos apóstolos;

4º. Pela tradição constante da Igreja Católica.

P. Quais são os principais milagres operados por Jesus Cristo?

R. Os principais milagres operados por Jesus Cristo são: a conversão da água em vinho, nas bodas de Caná, a pesca milagrosa, a cura do paralítico, a multiplicação dos pães, a Ressurreição, seguida de maravilhosas aparições, até ao dia da sua Ascensão aos céus.

Lição IV
Do terceiro artigo do Símbolo

P. Que nos ensina o terceiro artigo: o qual foi concebido do Espírito Santo, nasceu de Maria Virgem?

R. O terceiro artigo nos ensina que o Filho de Deus tomou corpo e alma, como nós temos, no seio puríssimo da Virgem Maria, por obra do Espírito Santo.

P. O Pai e o Filho concorreram também para formar aquele corpo e para criar aquela alma?

R. Sim, concorreram todas as três Divinas Pessoas.

P. Por que se diz então: por obra do Espírito Santo?

R. Porque a encarnação do Filho de Deus é obra de bondade e de amor, e as obras de bondade e de amor se atribuem ao Espírito Santo.

P. Quantas naturezas há em Jesus Cristo?

R. Em Jesus Cristo há duas naturezas; a natureza divina e a natureza humana, unidas, mas inconfusas; distintas, mas inseparáveis.

P. E quantas pessoas há em Jesus Cristo?

R. Em Jesus Cristo há uma só pessoa, a saber: a segunda pessoa da Santíssima Trindade.

P. Quantas vontades há em Jesus Cristo?

R. Em Jesus Cristo há duas vontades: uma divina e outra humana.

P. Jesus Cristo tinha vontade livre?

R. Sim, Jesus Cristo tinha vontade livre, mas não podia praticar o mal; porque poder praticar o mal é um defeito e não uma perfeição de vontade.

P. Quando dizemos o Filho de Deus e o Filho de Maria, entendemos a mesma pessoa?

R. Sim, quando dizemos o Filho de Deus e o Filho de Maria entendemos a mesma pessoa, um só Jesus Cristo, verdadeiro Deus e verdadeiro homem.

P. Maria Virgem então é Mãe de Deus?

R. Sim, Maria Virgem é Mãe de Deus; porque é Mãe de Jesus Cristo, que é verdadeiro Deus.

P. Maria foi sempre virgem?

R. Sim, Maria foi sempre virgem, antes do parto, no parto e depois do parto.

Lição V
Do quarto artigo do Símbolo

P. Que nos ensina o quarto artigo: padeceu sob o poder de Pôncio Pilatos, foi crucificado, morto e sepultado?

R. O quarto artigo nos ensina que Jesus Cristo, para resgatar o mundo com seu preciosíssimo sangue, padeceu sob o poder de Pôncio Pilatos, governador da Judeia, e morreu sobre o madeiro da cruz, de onde o desceram e sepultaram em um sepulcro novo.

P. Que quer dizer padeceu?

R. A palavra *padeceu* compreende todos os sofrimentos de Jesus Cristo em sua Paixão.

P. Jesus Cristo padeceu como Deus ou como homem?

R. Jesus Cristo padeceu como homem; porque como Deus não podia padecer nem morrer.

P. Que sorte de suplício era o da cruz?

R. O suplício da cruz era o mais infame e o mais cruel.

P. Quem condenou Jesus Cristo a ser crucificado?

R. Jesus Cristo foi condenado à cruz por Pôncio Pilatos, apesar de reconhecer este a sua inocência.

P. Não podia Jesus Cristo ter-se livrado das mãos dos judeus e de Pilatos?

R. Sim, Jesus Cristo podia ter se livrado das mãos dos judeus e de Pilatos; mas conhecendo ser vontade de seu Eterno Pai que Ele padecesse e morresse pela nossa salvação, submeteu-se voluntariamente à morte, foi ao encontro de seus inimigos e deixou-se prender.

P. Onde foi Jesus Cristo crucificado?

R. Jesus Cristo foi crucificado no Monte Calvário.

P. Que fez Jesus Cristo na cruz?

R. Jesus Cristo na cruz orou pelos seus inimigos e ofereceu à justiça divina sua morte, em sacrifício e satisfação pelos pecados dos homens.

P. Na morte de Jesus Cristo, a divindade separou-se do corpo e da alma?

R. Não, mas somente a alma de Jesus Cristo se separou de seu corpo: a divindade ficou com a alma e com o corpo.

P. Para que morreu Jesus Cristo?

R. Jesus Cristo morreu para salvar todos os homens e satisfazer por eles.

P. Como satisfez Jesus Cristo por todos os homens?

R. Jesus Cristo satisfez por todos os homens padecendo e morrendo, como homem, e dando, como Deus, um valor infinito aos seus padecimentos.

P. Não teria sido bastante que um anjo satisfizesse por nós?

R. Não, não teria sido bastante que um anjo satisfizesse por nós, porque a ofensa feita a Deus pelo pecado era, sob um certo aspecto, infinita; e para satisfazer por ela exigia-se uma pessoa de merecimento infinito.

P. Por que era necessário que os merecimentos de Jesus Cristo fossem de valor infinito?

R. Era necessário que os merecimentos de Jesus Cristo fossem de valor infinito porque a majestade de Deus ofendida pelo pecado é infinita.

P. Se Jesus Cristo morreu pela salvação de todos, por que não se salvam todos?

R. Porque para gozar do fruto da Paixão de Jesus Cristo é necessário que seus merecimentos nos sejam aplicados; o que só se consegue por meio dos sacramentos e das boas obras; ora, como muitos ou não recebem os sacramentos ou os recebem mal, por isso para esses fica infrutuosa a morte de Jesus Cristo.

P. Na morte de Jesus Cristo houve prodígios?

R. Sim, na morte de Jesus Cristo houve prodígios, escureceu-se o sol, tremeu-se a terra, abriram-se os sepulcros, e muitos mortos ressuscitaram.

P. Onde foi sepultado o corpo de Jesus Cristo?

R. O corpo de Jesus Cristo foi sepultado em um sepulcro novo, cavado na pedra do monte pouco distante do lugar onde Ele fora crucificado.

Lição VI
Do quinto artigo do Símbolo

P. Que nos ensina o quinto artigo: desceu aos infernos, ao terceiro dia ressurgiu dos mortos?

R. O quinto artigo nos ensina que a alma de Jesus Cristo desceu ao limbo para livrar as almas dos patriarcas e dos outros homens justos que tinham morrido desde o princípio do mundo; ensina-nos ainda que Ele ao terceiro dia depois de sua morte ressuscitou.

P. Que faziam no limbo aquelas almas?

R. Aquelas almas estavam no limbo esperando a vinda de Jesus Cristo, verdadeiro Messias.

P. Que esperavam do Messias aquelas almas?

R. Aquelas almas esperavam ser libertadas pelo Messias, como o foram, sendo por Ele introduzidas no céu.

P. Por que não foram antes para o céu?

R. Porque pelo pecado de Adão se tinham fechado as portas do céu, e era de toda a razão que lá primeiro entrasse quem as tinha aberto para os outros.

P. Por que Jesus Cristo quis esperar três dias para ressuscitar?

R. Jesus Cristo quis esperar três dias para ressuscitar a fim de mostrar com toda a evidência que verdadeiramente tinha morrido.

P. A Ressurreição de Jesus Cristo foi semelhante à dos outros homens ressuscitados?

R. Não, a Ressurreição de Jesus Cristo não foi semelhante à ressurreição dos outros homens ressuscitados, porque Jesus Cristo ressuscitou por virtude própria, e os outros homens ressuscitaram por virtude de Deus.

Lição VII
Do sexto artigo do Símbolo

P. Que nos ensina o sexto artigo: subiu aos céus, está sentado à mão direita de Deus Pai todo-poderoso?

R. O sexto artigo nos ensina:

1º. Que Jesus Cristo subiu ao céu na presença de seus discípulos;

2º. Que sendo, enquanto Deus, igual ao Pai na glória, enquanto homem foi elevado acima de todos os anjos e de todos os santos e foi feito senhor de todas as coisas.

P. Quantos dias esteve Jesus Cristo na terra, depois da sua Ressurreição?

R. Jesus Cristo, depois de sua Ressurreição, esteve na terra 40 dias, para provar, com várias aparições, que tinha verdadeiramente ressuscitado, para confirmar na fé seus discípulos e completar a obra da Igreja.

P. Por que subiu ao céu Jesus Cristo?

R. Jesus Cristo subiu ao céu:

1º. Para tomar posse do reino eterno, conquistado com sua morte;

2º. Para nos preparar o lugar e nos servir de mediador e advogado junto a seu Pai;

3º. Para mandar o Espírito Santo aos seus apóstolos.

P. Jesus Cristo subiu aos céus enquanto Deus ou enquanto homem?

R. Jesus Cristo subiu aos céus enquanto homem, porque enquanto Deus está sempre presente em todo lugar.

P. Por que a subida de Jesus Cristo ao céu se chama "Ascensão" e a de sua Mãe Santíssima "assunção"?

R. Porque Jesus Cristo, sendo Deus e homem, subiu ao céu por virtude própria; ao passo que sua Mãe Santíssima foi levada ao céu por virtude de Deus.

P. Que significam as palavras: está sentado à mão direita de Deus Pai todo-poderoso?

R. Estas palavras querem dizer que Jesus Cristo tem no céu lugar de honra, igual ao Deus Pai, sobre todas as criaturas.

Lição VIII
Do sétimo artigo do Símbolo

P. Que nos ensina o sétimo artigo: de onde há de vir a julgar os vivos e os mortos?

R. O sétimo artigo nos ensina que Jesus Cristo no fim dos tempos virá do céu cheio de glória e de majestade para julgar todos os homens, dando a cada um o prêmio ou a pena que tiver merecido.

P. Se cada um, logo depois da morte, tem de ser julgado por Jesus Cristo, no juízo particular, por que seremos ainda todos julgados no juízo universal?

R. Todos nós havemos de ser julgados no juízo universal por muitas razões:

1º. Para glória de Deus;

2º. Para glória de Jesus Cristo;

3º. Para glória também dos santos;

4º. Para confusão dos maus;

5º. Finalmente, a fim de que o corpo com a alma tenha sua sentença de glória ou de condenação.

P. Por que dizes: para glória de Deus?

R. Digo: *para glória de Deus*, a fim de que todos conheçam com quanta justiça Deus governa o mundo; se bem que no mundo se vejam, por vezes, os bons maltratados e oprimidos, e os maus gozando de prosperidade e bem-estar.

P. Por que dizes para glória de Jesus Cristo?

R. Digo: *para glória de Jesus Cristo*, para que Jesus Cristo, que foi injustamente condenado pelos homens, apareça diante do mundo inteiro como juiz supremo de todos.

P. Por que dizes: para glória dos santos?

R. Digo: *para glória dos santos* para que os santos que morreram desprezados e perseguidos pelos maus sejam glorificados perante todo o mundo.

P. Qual será a confusão dos maus?

R. A confusão dos maus será grandíssima, mormente dos que procuram passar por virtuosos e honestos, pois serão patentes suas iniquidades e descobertos, aos olhos de todos, seus pecados, ainda os mais ocultos e vergonhosos.

Lição IX
Do oitavo artigo do Símbolo

P. Que nos ensina o oitavo artigo: creio no Espírito Santo?

R. O oitavo artigo nos ensina:

1º. Que o Espírito Santo é a terceira pessoa da Santíssima Trindade;

2º. Que é Deus eterno, onipotente, Criador e Senhor de todas as coisas, como o Pai e o Filho.

P. De quem procede o Espírito Santo?

R. O Espírito Santo procede do Pai e do Filho.

P. Mas então o Pai e o Filho existiram antes do Espírito Santo?

R. Não, o Pai e o Filho não existiram antes do Espírito Santo, porque tão eterno é o Espírito Santo como o Pai e o Filho.

P. Por que se chama Espírito Santo a terceira pessoa da Santíssima Trindade?

R. A terceira pessoa da Santíssima Trindade chama-se *Espírito Santo* porque procede do Pai e do Filho por via de *spiração* e de amor.

P. Que operação se atribui especialmente ao Espírito Santo?

R. Ao Espírito Santo se atribui a santificação das almas.

P. O Pai e o Filho não nos santificam igualmente como o Espírito Santo?

R. Sim, todas as três pessoas nos santificam igualmente.

P. Se assim é, por que a santificação das almas se atribui particularmente ao Espírito Santo?

R. Porque a santificação das almas é obra de amor e as obras de amor se atribuem ao Espírito Santo.

P. Quando desceu o Espírito Santo sobre os apóstolos?

R. O Espírito Santo desceu sobre os apóstolos no Dia de Pentecostes, a saber: 50 dias depois da Ressurreição de Jesus Cristo e 10 depois de sua Ascensão.

P. Que faziam então os apóstolos?

R. Os apóstolos reunidos no Cenáculo em companhia de Maria Santíssima e dos outros discípulos perseveravam na oração, esperando o Espírito Santo, que Jesus Cristo lhes prometera.

P. Em que forma desceu o Espírito Santo sobre os apóstolos?

R. O Espírito Santo desceu sobre a cabeça de cada um dos apóstolos em forma de línguas de fogo.

P. Que efeitos produziu o Espírito Santo nos apóstolos?

R. O Espírito Santo confirmou os apóstolos na fé, encheu-os de luz, de força, de caridade e de abundância de dons, para anunciarem o Evangelho e propagarem a Igreja de Jesus Cristo.

P. Foi o Espírito Santo enviado somente aos apóstolos?

R. Não, o Espírito Santo foi enviado a toda a Igreja e a todas as almas fiéis.

P. Que faz o Espírito Santo na Igreja?

R. O Espírito Santo vivifica a Igreja, assiste-a e a governa, e dá-lhe a infalibilidade para que ela conduza com segurança os fiéis pelo caminho da salvação.

P. Quantos e quais são os dons do Espírito Santo?

R. Os dons do Espírito Santo são sete:

1º. Sabedoria;

2º. Entendimento;

3º. Conselho;

4º. Fortaleza;

5º. Ciência;

6º. Piedade;

7º. Temor de Deus.

Lição X
Do nono artigo do Símbolo

§1º – Da Igreja em geral

P. Que nos ensina o nono artigo: a Santa Igreja Católica, a Comunhão dos Santos?

R. O nono artigo nos ensina que devemos crer:

1º. Que existe a Igreja Católica, que é sociedade perfeita, suprema, e divinamente instituída;

2º. Que há união entre todos os seus membros, e comunicação de bens espirituais entre eles.

P. Por que depois do artigo que trata do Espírito Santo se fala imediatamente da Igreja?

R. Para indicar que toda a santidade da Igreja vem do Espírito Santo, que é autor de toda a santidade.

P. Que significa a palavra igreja?

R. A palavra igreja quer dizer convocação ou reunião.

P. Quem nos convocou ou nos chamou para a Igreja, e nos fez cristãos?

R. Fomos chamados por Deus, que por graça especial nos fez cristãos, a fim de que, iluminados pela fé, lhe tributássemos o devido culto e de todo o coração o servíssemos.

P. A Igreja consta somente dos fiéis que vivem na terra?

R. Não, a Igreja não consta somente dos fiéis que vivem na terra; compõe-se de três partes. A primeira é a dos bem-aventurados, que estão no céu e gozam da presença de Deus. A segunda é a dos que deixaram a terra, mas que não foram ainda recebidos no céu, e são as almas do purgatório. A terceira parte é a dos fiéis que vivem na terra espalhados por todo o mundo.

P. Como se chamam estas três partes que formam a Igreja?

R. A primeira parte se chama Igreja triunfante; a segunda, Igreja padecente; a terceira, Igreja militante.

P. Estas três partes fazem uma só Igreja?

R. Sim, estas três partes fazem uma só Igreja e um só corpo; porque têm o mesmo chefe, que é Jesus Cristo, o mesmo Espírito, que as anima e une, o mesmo fim, que é a felicidade eterna, que os santos já gozam no céu e que os outros esperam.

P. A que parte se refere principalmente este nono artigo do Símbolo?

R. Este nono artigo se refere à última parte, isto é, à Igreja militante, a que nós pertencemos.

§2º – Da Igreja Católica e dos seus caracteres

P. Que se entende aqui por Igreja?

R. Por Igreja entende-se aqui a *sociedade de todos os fiéis que professam a mesma fé e recebem os mesmos sacramentos, sob a obediência dos legítimos pastores e principalmente do papa.*

P. Quais são os legítimos pastores da Igreja?

R. Os legítimos pastores da Igreja são: o romano pontífice, isto é, o papa, que é o pastor universal, e os bispos; os sacerdotes e especialmente os párocos que, sob a vigilância e dependência dos bispos e do papa, tomam parte no ofício de pastores.

P. Quem é o chefe da Igreja?

R. O chefe invisível da Igreja é Jesus Cristo no céu; o chefe visível é o papa na terra, o qual tem poder supremo e imediato sobre todos os pastores e fiéis.

P. Por que se diz que o papa é o pastor universal da Igreja?

R. Diz-se que o papa é o pastor universal da Igreja porque Jesus Cristo disse a São Pedro, que foi o primeiro papa: *tu és Pedro e sobre esta pedra edificarei a minha Igreja e te darei as chaves do Reino dos Céus, e tudo o que atares na terra será atado no céu e tudo o que desatares na terra será também desatado no céu.* E disse-lhe mais: *apascenta meus cordeiros, apascenta minhas ovelhas.*

P. Mas então não pertencem à Igreja de Jesus Cristo tantas sociedades de homens batizados, que não reconhecem o papa como chefe?

R. Não, todos os que não reconhecem o papa por seu chefe não pertencem à verdadeira Igreja de Jesus Cristo.

P. Como se pode, pois, reconhecer a verdadeira Igreja de Jesus Cristo entre tantas sociedades de homens que se dizem cristãos?

R. A verdadeira Igreja de Jesus Cristo se reconhece pelos seus caracteres, que são quatro: ela é Una, Santa, Católica e Apostólica.

P. Por que se diz que a Igreja é "Una"?

R. Diz-se que a Igreja é Una porque professa uma só fé, uma só lei e participa dos mesmos sacramentos, sob um só chefe visível que é o romano pontífice.

P. Podem existir muitas Igrejas?

R. Não, não podem existir muitas Igrejas, porque assim como há um só Deus, uma só fé e um só batismo, assim não pode haver mais que uma só Igreja verdadeira.

P. Não se chamam Igrejas todos os fiéis unidos de uma nação, de uma diocese; v. gr.: a Igreja do Brasil, a Igreja Fluminense?

R. Sim, chamam-se também Igrejas todos os fiéis unidos de uma nação, de uma diocese, mas particulares e sempre enquanto são frações da Igreja universal e com ela formam uma só Igreja.

P. Por que se diz que a Igreja é Santa?

R. Diz-se que a Igreja é Santa porque tem um chefe santo que é Jesus Cristo; porque sua doutrina é santa; porque possui meios eficacíssimos de santificação; porque sempre teve e tem muitos membros santos.

P. Por que se diz que a Igreja é Católica?

R. Diz-se que a Igreja é Católica, que quer dizer universal, porque abrange os fiéis de todos os tempos, de todos os lugares, de todas as condições e idades, e todos os homens do mundo são chamados a formar parte dela.

P. Por que se diz que a Igreja é Apostólica?

R. Diz-se que a Igreja é Apostólica porque crê e ensina tudo o que creram e ensinaram os apóstolos, e é guiada e governada pelos sucessores dos apóstolos.

P. Por que a Igreja que tem todas estas notas se chama também Romana?

R. A Igreja que tem todas estas notas chama-se também Romana porque é a única que reconhece por chefe o romano pontífice, verdadeiro sucessor de São Pedro.

P. Pode haver salvação fora da Igreja Católica Apostólica Romana?

R. Não, fora da Igreja Católica Apostólica Romana não pode haver salvação; assim como no dilúvio ninguém se salvou fora da arca de Noé, que era figura desta Igreja, assim fora dela ninguém se poderá salvar.

P. Como se salvaram os antigos patriarcas, os profetas e todos os outros justos do Antigo Testamento?

R. Os patriarcas, os profetas e os outros justos do Antigo Testamento se salvaram em virtude da fé que tinham no Cristo prometido, pela qual ficaram pertencendo espiritualmente a esta Igreja.

P. Mas, quem sendo batizado se achar fora da Igreja sem sua culpa, poder-se-á salvar?

R. Sim, quem, tendo recebido o batismo, se achar sem sua culpa ou de boa-fé fora da Igreja, e cumprir a vontade de Deus do melhor modo que puder, ainda que separado do *corpo*, pertencerá à *alma* da Igreja e poder-se-á salvar.

P. Salvar-se-á o católico que não viver de conformidade com a doutrina e lei da Igreja?

R. O católico que não viver de conformidade com a doutrina e lei da Igreja não se salvará; porque é um membro morto e por seus pecados arrasta sobre si a condenação eterna; porquanto a salvação do adulto exige não só o batismo e a fé, mas também obras correspondentes a esta fé.

P. Que é a alma da Igreja?

R. A alma da Igreja é o seu elemento interno e espiritual, isto é, a fé, a esperança, a caridade, os dons da graça e do Espírito Santo e todos os tesouros celestes que lhe são comunicados pelos merecimentos de Cristo Redentor e dos santos.

P. Que é o corpo da Igreja?

R. O corpo da Igreja é o seu elemento visível e externo, que compreende a associação dos fiéis, que estão externamente unidos ao vigário de Cristo pela profissão da mesma fé, pela comunhão dos mesmos sacramentos e pela obediência devida.

P. Por que se diz: a Santa Igreja Católica, e não: na Santa Igreja Católica, como se disse falando das pessoas da Santíssima Trindade?

R. Porque, falando de Deus, colocamos nossa fé e confiança no mesmo Deus; falando, porém, da Igreja, não colocamos nossa fé e confiança diretamente na Igreja, mas em Deus, seu autor, do qual a Igreja recebe toda a autoridade, toda a santidade e força.

P. Pode a Igreja errar no que nos propõe para crer?

R. Não, a Igreja não pode errar no que nos propõe para crer, porque é assistida e guiada pelo Espírito Santo.

P. É então infalível a Igreja Católica?

R. Sim, a Igreja Católica é infalível.

P. E que dizes dos que não aceitam as suas definições?

R. Os que não aceitam as suas definições são hereges.

P. O papa é também infalível?

R. Sim, o papa é infalível, como o é a Igreja, quando, falando como pastor e mestre universal, ensina verdades que se referem à fé e aos costumes.

P. Quando foi definido que o papa é infalível?

R. A Igreja definiu que o papa é infalível no Concílio Vaticano; e se alguém ousar negar esta definição, será tido como herege e excomungado.

P. A Igreja, definindo que o papa é infalível, estabeleceu uma nova verdade de fé?

R. Não, a Igreja definindo que o papa é infalível não estabeleceu uma nova verdade de fé, mas somente definiu que a infalibilidade do papa, contida na Sagrada Escritura e na Tradição, é uma verdade revelada por Deus, que se deve crer como dogma ou artigo de fé.

P. A Igreja Católica poderá ser destruída ou perecerá?

R. Não, a Igreja Católica poderá ser perseguida, mas não poderá ser destruída, nem perecerá. Ela durará até o fim do mundo, porque até o fim do mundo Jesus Cristo estará com ela, como prometeu.

P. Por que é a Igreja Católica tão perseguida?

R. A Igreja Católica é tão perseguida porque também foi perseguido o seu fundador e porque ela reprova os vícios, combate as paixões e condena as injustiças e os erros.

P. Quais devem ser os sentimentos dos católicos para com a Igreja?

R. Todo católico deve consagrar à Igreja um amor ilimitado e reputar-se sumamente honrado por fazer parte dela; deve esforçar-se por aumentar a sua glória e a sua influência no seio da sociedade.

§3° – Da Igreja docente e da Igreja discente

P. Entre os membros da Igreja há alguma distinção?

R. Sim, os membros da Igreja dividem-se em duas partes bem distintas: uns têm o ofício de governar e ensinar, outros são governados e ensinados.

P. Como se chama a parte dos que ensinam?

R. Chama-se *docente*.

P. Como se chama a parte dos que na Igreja são ensinados?

R. A parte dos que na Igreja são ensinados chama-se *discente*.

P. Quem estabeleceu esta distinção na Igreja?

R. Esta distinção na Igreja estabeleceu-a o mesmo Jesus Cristo.

P. A Igreja docente e a Igreja discente são duas Igrejas?

R. Não, a Igreja docente e a Igreja discente são duas partes distintas de uma só Igreja.

P. De quem se compõe a Igreja docente?

R. A Igreja docente compõe-se de todos os bispos, tendo à frente o romano pontífice, quer estejam separados, quer unidos em concílio.

P. A Igreja discente de quem se compõe?

R. A Igreja discente compõe-se de todos os fiéis.

P. Quais são as pessoas que na Igreja têm a autoridade de ensinar?

R. As pessoas que na Igreja têm a autoridade de ensinar são o papa e os bispos unidos com o papa; e, sob a dependência destes, os outros ministros sagrados.

P. Estamos obrigados a ouvir a Igreja docente?

R. Sim, estamos obrigados a ouvir a Igreja docente sob pena gravíssima de condenação; porque Jesus Cristo disse aos pastores da Igreja, na pessoa dos apóstolos: *Quem vos ouve, a mim ouve; quem vos despreza, a mim despreza.*

P. Além do poder de ensinar tem a Igreja algum outro poder?

R. Sim, além do poder de ensinar a Igreja tem o poder de administrar bens sagrados, de fazer leis e de exigir que sejam executadas.

P. Virá do povo o poder que têm os membros da hierarquia eclesiástica?

R. Não, o poder que têm os membros da hierarquia eclesiástica não lhes pode vir do povo, mas vem-lhes unicamente de Deus; o contrário é uma heresia.

P. A quem pertence o exercício desses poderes?

R. O exercício desses poderes pertence ao papa e aos bispos, subordinados ao papa.

§4º – Do papa e dos bispos

P. Quem é o papa?

R. O papa, que chamamos também sumo pontífice ou romano pontífice, é o sucessor de São Pedro na cátedra romana, o vigário de Jesus Cristo na terra, e o chefe visível da Igreja.

P. Por que o romano pontífice é o sucessor de São Pedro?

R. O romano pontífice é o sucessor de São Pedro porque São Pedro reuniu na sua pessoa a dignidade de Bispo de Roma e a de chefe da Igreja; estabeleceu em Roma, por divina disposição, a sua sede e aí morreu; por isso quem for eleito Bispo de Roma é também o herdeiro de toda a sua autoridade.

P. Por que o romano pontífice é o vigário de Jesus Cristo?

R. O romano pontífice é o vigário de Jesus Cristo porque o representa na terra e faz as suas vezes no governo da Igreja.

P. Por que o romano pontífice é o chefe visível da Igreja?

R. O romano pontífice é o chefe visível da Igreja porque ele a governa visivelmente com a mesma autoridade de Jesus Cristo, que é o chefe invisível.

P. Qual é, pois, a dignidade do papa?

R. A dignidade do papa é a maior de todas as dignidades da terra, e lhe confere poder supremo, imediato e absoluto sobre todos os pastores e fiéis.

P. Poderá o papa errar ensinando a Igreja?

R. Não, o papa não pode errar, isto é, o papa é infalível quando, falando como pastor e mestre universal, define verdades que se referem à fé e aos costumes.

P. Que pecado cometeria quem não cresse nas Solenes definições do papa?

R. Quem não cresse nas Solenes definições do papa, ou admitisse dúvida sobre elas, pecaria contra a fé; e se permanecesse obstinado nessa incredulidade não seria mais católico e sim herege.

P. Para que fim Deus concedeu ao papa o dom da infalibilidade?

R. Deus concedeu ao papa o dom da infalibilidade a fim de que todos estejamos certos e seguros das verdades que a Igreja nos ensina.

P. Qual deve ser o procedimento dos católicos para com o papa?

R. Os católicos devem reconhecer no papa o pai, pastor e mestre universal e conservar-se unidos a ele de mente e de coração.

P. Depois do papa, quais são as personagens, por divina instituição, mais dignas da veneração da Igreja?

R. Depois do papa, as personagens mais venerandas da Igreja são os bispos.

P. Que são os bispos?

R. Os bispos são por instituição divina os pastores dos fiéis, colocados pelo Espírito Santo nas dioceses que lhes são confiadas para regerem a Igreja de Deus, sob a dependência do romano pontífice.

P. Que é o bispo em sua diocese?

R. O bispo em sua diocese é o legítimo pastor, o pai, o mestre, o superior de todos os fiéis, eclesiásticos ou leigos, que pertencem à mesma diocese.

P. Por que se chama o bispo legítimo pastor?

R. O bispo se chama legítimo pastor porque a jurisdição ou o poder de governar os fiéis em sua diocese lhe foi conferido segundo as normas e leis da Igreja.

P. De quem são sucessores o papa e os bispos?

R. O papa é o sucessor de São Pedro, príncipe dos apóstolos; os bispos são os sucessores dos apóstolos, no que se refere ao governo ordinário da Igreja.

P. Os fiéis devem estar unidos ao próprio bispo?

R. Sim, os fiéis, eclesiásticos ou leigos, devem de alma e de coração estar unidos ao próprio bispo, em graça e comunhão com a Santa Sé Apostólica.

P. Como se hão de comportar os fiéis com o próprio bispo?

R. Todos os fiéis, eclesiásticos ou leigos, têm o dever de venerar, amar e honrar o seu bispo, e prestar-lhe obediência em tudo o que se refere à cura das almas e ao governo espiritual da diocese.

P. Quem auxilia o bispo no governo das almas?

R. O bispo é auxiliado no governo das almas pelos sacerdotes, e principalmente pelos párocos.

P. Quem é o pároco?

R. O pároco é um sacerdote encarregado de governar e dirigir sob a dependência do bispo uma porção da diocese, que se chama paróquia.

P. Que deveres têm os fiéis para com o seu pároco?

R. Os fiéis devem conservar-se unidos ao seu pároco, ouvi-lo com docilidade e professar-lhe respeito e submissão em tudo o que se refere à cura da paróquia.

§5º – Da comunhão dos santos

P. Que nos ensina a segunda parte do nono artigo: "A comunhão dos santos"?

R. Estas palavras do Símbolo: *a comunhão dos santos*, nos ensinam que na Igreja Católica cada um dos seus membros participa não só dos bens, que Deus concedeu à mesma Igreja, mas ainda dos frutos das boas obras, que praticam os outros membros.

P. Quais são esses bens de que gozam em comum os cristãos católicos?

R. Esses bens são:

1º. A fé, a esperança e a caridade que o Senhor infunde no coração de todos os fiéis;

2º. Os sacramentos, que são para a santificação de todos;

3º. O sacrifício da missa e as orações públicas;

4º. Os merecimentos infinitos de Nosso Senhor Jesus Cristo, os merecimentos da Santíssima Virgem e dos santos;

5º. O fruto de todas as boas obras e das virtudes cristãs que se praticam na Igreja.

P. Por que esta comunhão de bens entre os fiéis se chama "comunhão dos santos"? São, porventura, santos todos os cristãos?

R. Esta comunhão de bens entre os fiéis chama-se *"comunhão dos santos"* não porque todos os cristãos sejam santos, mas:

1º. Porque todos são consagrados a Deus no santo batismo e são chamados a viver santamente;

2º. Porque entre os fiéis somente os santos, isto é, os justos, gozam perfeitamente da comunhão de todos os bens.

P. Os pecadores são excluídos da comunhão dos santos?

R. Os pecadores também têm parte na comunhão dos santos, mas imperfeitamente; porque privados como se acham da caridade e da graça santificante, são *membros mortos* da Igreja; por isso não desce até eles o fruto espiritual que atinge aos *membros vivos*, isto é, aos *justos*. Mas, como não estão separados da Igreja, participam ainda de alguns de seus bens, como sejam, o Sacramento da Penitência, o santo sacrifício da missa, e são auxiliados para se converterem pelas orações e pelas boas obras dos bons cristãos.

P. A comunhão dos santos abrange somente a Igreja militante?

R. Não, a *comunhão dos santos* abrange a Igreja militante, a triunfante e a padecente, que juntas formam a única Igreja de Nosso Senhor Jesus Cristo.

P. De que modo a comunhão dos santos abrange a Igreja triunfante, militante e padecente?

R. A *comunhão dos santos* abrange a Igreja triunfante, militante e padecente enquanto:

1º. Estas três partes da Igreja se acham unidas entre si pelos laços da caridade;

2º. Os merecimentos de Nosso Senhor Jesus Cristo, da Santíssima Virgem e dos santos se aplicam a nós e às almas do purgatório;

3º. Nós honramos os santos e os santos intercedem por nós e pelas almas do purgatório;

4º. Nós aliviamos essas almas com orações, com esmolas e com outras boas obras.

*§6º – Dos que são excluídos
da comunhão dos santos*

P. Quem são os que não pertencem à comunhão dos santos?

R. Não pertencem à comunhão dos santos na outra vida os condenados e nesta os que estão fora da verdadeira Igreja.

P. Quem são os que estão fora da verdadeira Igreja?

R. Estão fora da verdadeira Igreja: os infiéis, os judeus, os hereges, os apóstatas, os cismáticos e os excomungados.

P. Quem são os infiéis?

R. Os infiéis são os que não receberam o batismo e não creem em Jesus Cristo; ou porque creem e adoram divindades falsas, como os idólatras; ou porque, admitindo um Deus verdadeiro, não creem em Cristo Messias, como os maometanos e outros em iguais condições.

P. Quem são os judeus?

R. Os judeus são os que professam a lei de Moisés; não receberam o batismo e não creem em Jesus Cristo.

P. Quem são os hereges?

R. Os hereges são os batizados que recusam com pertinácia crer alguma verdade revelada por Deus e ensinada pela Igreja Católica como verdade de fé; assim são os arianos, os nestorianos, e as várias seitas protestantes.

P. Quem são os apóstatas?

R. Os apóstatas são os que abjuram ou renegam com ato externo a fé católica, que antes professavam.

P. Quem são os cismáticos?

R. Os cismáticos são os cristãos que, não negando explicitamente algum dogma, se separam voluntariamente da Igreja de Jesus Cristo ou dos legítimos pastores.

P. Quem são os excomungados?

R. Os excomungados são os que por gravíssimos delitos foram punidos com a excomunhão pelo papa ou pelo bispo e ficaram por isso separados do corpo da Igreja.

P. Devemos temer a excomunhão?

R. Sim, devemos temer grandemente a excomunhão, porque é a pena mais grave e mais terrível que a Igreja pode aplicar aos seus filhos rebeldes e obstinados.

P. De que bens ficam privados os excomungados?

R. Os excomungados ficam privados das preces públicas, dos sacramentos, das indulgências e da sepultura eclesiástica.

P. Podemos auxiliar de alguma maneira os excomungados?

R. Sim, podemos auxiliar de alguma maneira os excomungados e a todos os outros que estão fora da verdadeira Igreja com salutares avisos, com orações e boas obras, pedindo a Deus que por sua misericórdia lhes conceda a graça de se converterem e de entrarem na comunhão dos santos.

Lição XI
Dos três últimos artigos do Símbolo

P. Que nos ensina o décimo artigo: a remissão dos pecados?

R. O décimo artigo nos ensina que Jesus Cristo deixou à sua Igreja o poder de perdoar todos os pecados por meio dos sacramentos.

P. A Igreja pode perdoar toda a sorte de pecados?

R. Sim, a Igreja pode perdoar toda a sorte de pecados, por mais numerosos e mais graves que sejam; porque Jesus Cristo lhe deu pleno poder para perdoar ou reter os pecados.

P. Fora da Igreja poder-se-á esperar o perdão dos pecados?

R. Não, por certo; para quem está completamente fora da Igreja não há remissão de pecados nem esperança de salvação.

P. Como é que a Igreja perdoa os pecados?

R. A Igreja perdoa os pecados pela aplicação dos merecimentos de Jesus Cristo, administrando os sacramentos, que Ele para este fim instituiu, principalmente o *Batismo* e a *Penitência*.

P. Quem são os que na Igreja exercem o poder de perdoar os pecados?

R. Os que na Igreja exercem o poder de perdoar os pecados são: em primeiro lugar o papa, que possui a plenitude desse poder; após o papa, os bispos, e sob a dependência dos bispos os sacerdotes.

P. Que nos ensina o undécimo artigo do Símbolo: a Ressurreição da carne?

R. O undécimo artigo do Símbolo nos ensina que todos os homens no fim do mundo ressuscitarão por virtude de Deus onipotente, unindo-se cada alma ao mesmo corpo que antes tinha.

P. Como se poderá efetuar essa ressurreição dos corpos?

R. A ressurreição dos corpos se efetuará por virtude de Deus onipotente que, assim como pôde fazer o mundo do nada, assim pode ressuscitar todos os corpos dos que morreram.

P. Quando há de ser a ressurreição dos corpos?

R. A ressurreição dos corpos será no fim do mundo; e logo depois seguir-se-á o juízo universal.

P. No fim do mundo os homens ressuscitarão todos do mesmo modo?

R. Não, no fim do mundo os homens não ressuscitarão todos do mesmo modo; haverá muita diferença entre os corpos dos eleitos e os dos condenados.

P. Como serão os corpos dos eleitos?

R. Os corpos dos eleitos serão semelhantes ao corpo glorioso do mesmo Jesus Cristo, isto é, serão impassíveis, resplandecentes como o sol, ágeis e dotados de sutileza.

P. Como serão os corpos dos condenados?

R. Os corpos dos condenados serão pelo contrário horrivelmente disformes, manifestando sua eterna reprovação.

P. Que nos ensina o duodécimo e último artigo do Símbolo: a vida eterna?

R. O duodécimo e último artigo do Símbolo nos ensina que Deus preparou, para os que o amam e servem fielmente nesta vida, outra vida gloriosa e feliz no céu, a qual durará por toda a eternidade.

P. Podemos nós compreender a felicidade do céu?

R. Não, nós não podemos compreender a felicidade do céu, porque excede o nosso conhecimento e porque os bens do céu não se podem comparar com os bens da terra.

P. Em que consiste a felicidade dos eleitos?

R. A felicidade dos eleitos consiste em ver, amar e possuir sempre a Deus, fonte de todo o bem.

P. Mas não haverá também para os maus a vida eterna?

R. Sim, também para os maus está preparada uma vida que há de durar sempre, mas na desesperação de se verem eternamente privados da vista de Deus, e nos tormentos atrocíssimos do inferno; por isso, essa vida se deve chamar mais propriamente morte eterna que vida eterna.

P. Que quer dizer a palavra "amém" que se põe no fim do símbolo?

R. A palavra "*amém*" quer dizer: assim é, ou creio firmemente tudo quanto contêm estes 12 artigos.

PARTE II
DA ORAÇÃO

Lição I
Da oração em geral

P. De que trata a segunda parte da doutrina cristã?

R. A segunda parte da doutrina cristã trata da *oração* em geral e do *Pai-nosso* em particular.

P. Que é a oração?

R. A *oração* é a elevação da mente e do coração a Deus para o adorar, agradecer e pedir-lhe as graças de que necessitamos.

P. Quantas espécies há de oração?

R. Há duas espécies de oração: mental e vocal. A oração mental é a que se faz só com atos internos; a vocal é a que se faz com palavras.

P. É necessário fazer oração?

R. Sim, é necessário fazer oração, e devemos fazê-la muitas vezes; porque Deus nos ordena e porque muitas graças, que nos são necessárias para a salvação eterna, Deus não as concede senão por meio da oração.

P. Temos esperança fundada de obter por meio da oração os auxílios e as graças necessárias?

R. Sim, temos essa esperança fundada nas promessas de Deus onipotente, misericordiosíssimo e fidelíssimo, e nos merecimentos de Jesus Cristo.

P. Em nome de quem devemos pedir a Deus as graças?

R. Devemos pedir a Deus as graças em nome de Jesus Cristo, como Ele próprio nos ensinou e como pratica a Igreja que termina sempre suas orações por estas palavras: por Jesus Cristo Nosso Senhor, *Per Dominum nostrum Jesum Christum.*

P. Que quer dizer pedir em nome de Jesus Cristo?

R. Pedir em nome de Jesus Cristo quer dizer que em nossas orações e súplicas nos devemos apoiar nos merecimentos de Jesus Cristo.

P. Por que devemos pedir a Deus as graças em nome de Jesus Cristo?

R. Devemos pedir a Deus as graças em nome de Jesus Cristo porque Ele é nosso mediador e somente por meio dele é que alcançamos as graças divinas.

P. Se a oração tem tanta virtude, como se explica que muitas vezes as nossas orações não são atendidas?

R. Muitas vezes nossas orações não são atendidas ou porque pedimos coisas que não convêm a nossa salvação eterna, ou porque não oramos com as devidas disposições.

P. Quais são as coisas que principalmente devemos pedir a Deus?

R. Devemos pedir a Deus a sua glória, a nossa salvação eterna e os meios de consegui-la.

P. Não é lícito pedir também bens temporais?

R. Sim, é lícito pedir bens temporais, mas com a condição que não sirvam de obstáculo à nossa salvação eterna.

P. Então Deus não conhece as nossas necessidades?

R. Sim, Deus conhece as nossas necessidades, e nós não oramos para lhe fazer conhecê-las, mas para testemunhar a nossa submissão e humildade e para reconhecer a necessidade que temos de suas graças.

P. Qual é a primeira e a melhor disposição para tornar eficazes as nossas orações?

R. A primeira e a melhor disposição para tornar eficazes as nossas orações é o estado de graça ou ao menos o desejo dele.

P. Que mais devemos fazer para bem orar?

R. Para bem orar devemos:

1º. Pôr-nos na presença de Deus;

2º. Orar com devoção, isto é, com recolhimento, com humildade e com desejo de ser atendidos;

3º. Orar com confiança de alcançar as graças pelos merecimentos de Nosso Senhor Jesus Cristo;

4º. Orar com perseverança.

P. Deus atende às nossas orações feitas de tal modo?

R. Sim, Deus atende às nossas orações bem-feitas, mas do modo que Ele julga mais útil para nossa salvação eterna e nem sempre de acordo com a nossa vontade.

P. Que tempo devemos principalmente destinar à oração?

R. Devemos orar sempre, mas principalmente de manhã e à noite, nas tentações e nos perigos.

P. Devemos orar somente por nós?

R. Não, devemos orar também pelo nosso próximo.

Lição II
Da oração dominical

P. Qual é a mais excelente de todas as orações?

R. A mais excelente de todas as orações é o Pai-nosso.

P. Por que é o Pai-nosso a mais excelente de todas as orações?

R. O Pai-nosso é a mais excelente de todas as orações:

1º. Porque nos foi ensinado pelo próprio Jesus Cristo;

2º. Porque contém claramente, em poucas palavras, tudo quanto devemos desejar, esperar e pedir a Deus;

3º. Porque é a regra e o modelo de todas as orações.

P. Por que se chama oração dominical?

R. Chama-se oração dominical, que quer dizer oração do Senhor, porque Jesus Cristo por sua própria boca nos ensinou-a.

P. Dize o Pai-nosso.

R. Pai-nosso, que estais no céu,

1) Santificado seja o vosso nome,

2) Venha a nós o vosso reino,

3) Seja feita a vossa vontade, assim na terra como no céu,

4) O pão nosso de cada dia nos dai hoje,

5) E perdoai-nos as nossas dívidas, assim como nós perdoamos aos nossos devedores,

6) E não nos deixeis cair em tentação,

7) Mas livrai-nos do mal. Amém.

P. Quantas petições tem o Pai-nosso?

R. O Pai-nosso tem sete petições.

P. Por que no princípio dessa oração chamamos a Deus nosso Pai?

R. Chamamos a Deus nosso Pai para despertar e avivar nossa confiança na divina bondade, já que somos seus filhos.

P. Por que devemos nós dizer que somos filhos de Deus?

R. Podemos dizer que somos filhos de Deus:

1º. Porque Deus nos criou à sua imagem;

2°. Porque nos conserva e governa com sua providência;

3°. Porque Deus por sua especial benevolência nos adotou por seus filhos.

P. Por que dizemos Pai-nosso e não meu Pai?

R. Dizemos Pai-nosso, porque sendo todos nós filhos do mesmo Pai Celeste nos devemos considerar e amar como irmãos, e orar uns pelos outros.

P. Por que acrescentamos: que estais nos céus? Não está Deus em todo lugar?

R. É verdade que Deus está em todo lugar, mas dizemos: *Pai nosso, que estais nos céus*, para levantar nossos corações aos céus, onde Deus manifesta mais a sua glória a seus filhos.

P. Que pedimos a Deus na primeira petição: santificado seja o vosso nome?

R. Na primeira petição pedimos que Deus seja conhecido, amado, honrado e servido por todo o mundo e particularmente por nós.

P. Que pedimos na segunda petição: venha a nós o vosso reino?

R. Na segunda petição pedimos: 1°) a exaltação da Igreja, que é o reino de Jesus Cristo, e a dilatação da fé por todo o mundo; 2°) que Deus reine em nossos corações com a sua graça e nos faça reinar com Ele na sua glória.

P. Que pedimos na terceira petição: seja feita a vossa vontade, assim na terra como no céu?

R. Na terceira petição pedimos a graça de fazer em tudo a vontade de Deus, obedecendo tão prontamente aos seus mandamentos, como os anjos e os santos lhe obedecem no céu.

P. Que coisa mais pedimos?

R. Pedimos ainda a graça de corresponder às suas divinas inspirações e de viver resignados com a vontade de Deus, quando Ele for servido de nos mandar tribulações.

Lição III
Continua a explicação da oração dominical

P. Que pedimos na quarta petição: o pão nosso de cada dia nos dai hoje?

R. Na quarta petição pedimos a Deus o que nos é necessário todos os dias para a vida da alma e do corpo.

P. Que pedimos para a vida da alma?

R. Para a vida da alma pedimos o sustento espiritual, isto é, pedimos a Deus que nos conceda a sua graça, de que continuamente necessitamos, e que alimente a vida de nossa alma com sua palavra e seus sacramentos.

P. Que pedimos para o corpo?

R. Pedimos para o corpo o que é necessário para o sustento da vida temporal.

P. Por que dizemos: o pão nosso de cada dia nos dai hoje?

R. Dizemos: o pão nosso de cada dia nos dai hoje:

1º. Porque pedindo a Deus o pão quotidiano, reconhecemos que tudo quanto temos nos vem de Deus;

2º. Porque dizendo *nos dai hoje* e não *dai-me* nos lembramos da obrigação de cuidar também do próximo e de socorrê-lo em suas necessidades.

P. Que significa a palavra hoje?

R. A palavra *hoje* quer dizer que não nos devemos preocupar demasiadamente com o futuro, mas pedir somente o que nos é necessário no presente.

P. Por que dizemos: o pão nosso?

R. Dizemos *o pão nosso* para excluir a cobiça do alheio, e assim pedimos a Deus que nos ajude no ganho justo e lícito, a fim de que lucremos o necessário com o nosso trabalho, sem furto nem dolo.

P. Por que acrescentamos: de cada dia?

R. Acrescentamos *de cada dia* porque nos devemos contentar com o necessário sem aspirar superfluidades.

P. Que pedimos na quinta petição: E perdoai-nos as nossas dívidas, assim como nós perdoamos aos nossos devedores?

R. Na quinta petição pedimos a Deus que nos perdoe os nossos pecados, assim como nós perdoamos aos que nos ofendem.

P. Então os que não perdoam ao próximo devem deixar de rezar a oração dominical?

R. Não, os que não perdoam ao próximo não devem deixar de rezar a oração dominical, mas devem dizê-la com intenção de pedir a Deus a graça de perdoarem aos seus ofensores e de se converterem.

P. Que pedimos na sexta petição: e não nos deixeis cair em tentação?

R. Na sexta petição pedimos a Deus que nos livre das tentações, ou não permitindo que sejamos tentados ou nos dando graça para não sermos vencidos.

P. Que pedimos na sétima petição: mas livrai--nos do mal?

R. Na sétima petição pedimos a Deus que nos livre de todos os males presentes e futuros, e especialmente do maior dos males, que é o pecado e a condenação eterna.

P. Por que dizemos: mas livrai-nos do mal e não: dos males?

R. Dizemos: *mas livrai-nos do mal* e não: *dos males*, porque não devemos desejar ser isentos de todos os males desta vida, mas somente dos que não são convenientes à nossa alma, e por isso pedimos para ser livres do mal em geral, isto é, daquilo que Deus vê que para nós é mal.

P. Não é lícito pedir a Deus que nos livre de algum mal em particular, por exemplo: uma doença?

R. Sim, é lícito pedir a Deus que nos livre de algum mal particular, mas contanto que isto seja útil à salvação de nossa alma.

P. Que devemos pensar quando não formos atendidos nesta petição?

R. Quando não formos atendidos nesta petição, devemos crer que aquele mal é permitido por Deus para nosso bem, e devemos sofrê-lo com paciência.

P. Que nos aproveitam as tribulações que Deus nos envia?

R. As tribulações que Deus nos envia servem para fazermos penitência de nossas culpas, para exercitarmos as virtudes e sobretudo para imitarmos a Jesus Cristo, nosso chefe, com o qual razão é que nos conformemos nos sofrimentos, se quisermos participar de sua glória.

P. Que quer dizer "amém" no fim do Pai-nosso?

R. O *amém* no fim do Pai-nosso quer dizer: assim seja, assim desejo, assim peço a Deus e assim espero.

P. Para obter de Deus essas graças basta dizer o Pai-nosso somente com a boca e às pressas?

R. Não, para obter de Deus essas graças não basta dizer o Pai-nosso somente com a boca e às pressas, mas é necessário dizê-lo com atenção e acompanhá-lo com o coração.

P. Devemos dizer muitas vezes o Pai-nosso?

R. É conveniente dizer o Pai-nosso todos os dias e ainda muitas vezes no dia, porque todos os dias necessitamos do auxílio de Deus.

Lição IV
Da saudação angélica

P. Que outra oração costumamos dizer depois do Pai-nosso?

R. Depois do Pai-nosso, costumamos dizer a *Saudação angélica*, a saber, a *Ave-Maria*, para pedir a proteção da Santíssima Virgem.

P. Por que depois do Pai-nosso dizemos a Ave--Maria de preferência a qualquer outra oração?

R. Depois do Pai-nosso dizemos a Ave-Maria de preferência a qualquer outra oração porque a Santíssima Virgem é a advogada mais poderosa junto de Jesus Cristo; e, por isso, dita a oração que nos ensinou Jesus Cristo, rogamos à Santíssima Virgem que nos obtenha as graças que ali pedimos.

P. Dize a Ave-Maria?

R. Ave Maria, cheia de graça, o Senhor é convosco, bendita sois vós entre as mulheres e bendito é o fruto do vosso ventre, Jesus.

Santa Maria, Mãe de Deus, rogai por nós pecadores, agora e na hora da nossa morte. Amém.

P. De quem são as palavras da Ave-Maria?

R. As palavras da Ave-Maria são: parte do anjo São Gabriel, parte de Santa Isabel e parte da Igreja.

P. Quais são as palavras do anjo São Gabriel?

R. As palavras do anjo São Gabriel são estas: "Ave, cheia de graça, o Senhor é convosco, bendita sois vós entre as mulheres".

É por isso que a Ave-Maria se chama também Saudação angélica.

P. Quando disse o anjo estas palavras?

R. O anjo disse estas palavras quando por mandado de Deus anunciou a Maria Santíssima o mistério da encarnação.

P. Que entendemos fazer saudando a Santíssima Virgem com as mesmas palavras do anjo?

R. Com as palavras do anjo nós nos congratulamos com a Santíssima Virgem, comemorando os singulares privilégios e dons que Deus lhe concedeu, de preferência a todas as outras criaturas.

P. Quais são as palavras de Santa Isabel?

R. As palavras de Santa Isabel são estas:

"Bendita sois vós entre as mulheres e bendito é o fruto do vosso ventre".

P. Quando disse Santa Isabel estas palavras?

R. Santa Isabel, por inspiração de Deus, disse estas palavras quando recebeu em sua casa a Santíssima Virgem que, logo depois da anunciação, foi visitá-la e ficou em sua companhia por três meses.

P. Que entendemos fazer dizendo estas palavras?

R. Com as palavras de Santa Isabel:

1º Congratulamo-nos com Maria Santíssima pela excelsa dignidade de Mãe de Deus;

2º Bendizemos a Deus e lhe damos graças por nos ter dado Jesus Cristo por meio de Maria.

P. E as outras palavras por quem foram acrescentadas?

R. Todas as outras palavras foram acrescentadas pela Igreja, a saber: "Maria", depois da primeira palavra, "Jesus", depois das palavras proferidas por Santa Isabel, e "Santa Maria, Mãe de Deus, rogai por nós pecadores, agora e na hora da nossa morte. Amém".

P. Que pedimos por estas palavras?

R. Por estas palavras adotadas pela Igreja pedimos a proteção da Santíssima Virgem nesta vida e principalmente na hora da nossa morte, quando mais necessitamos de seu auxílio.

Lição V
Da invocação dos santos

P. É coisa útil implorar a intercessão dos santos?

R. Sim, é coisa utilíssima implorar a intercessão dos santos e devemos, particularmente, recordar ao nosso anjo da guarda, aos santos do nosso nome e aos santos protetores da diocese e da paróquia onde residimos.

P. Que diferença há entre as orações que dirigimos a Deus e as que dirigimos aos santos?

R. Entre as orações que dirigimos a Deus e as que dirigimos aos santos há esta diferença, que pedimos a Deus que nos dê os bens e nos livre dos males, e aos santos que intercedam por nós diante de Deus.

P. Que entendemos dizer quando afirmamos que um santo nos fez alguma graça?

R. Quando afirmamos que um santo nos fez alguma graça queremos dizer que esse santo nos alcançou de Deus essa graça.

P. Com que oração imploras a proteção do anjo da guarda?

R. A proteção do anjo da guarda imploramos com a seguinte oração: "Anjo de Deus, que sois a minha guarda, e a quem fui confiado por celestial piedade, neste dia iluminai-me, protegei-me, guiai-me e governai-me. Amém"[2].

Em latim: *Angele Dei, qui custos es mei, me tibi commissum pietate superna hodie ilumina, custodi, rege et guberna. Amen.*

P. Que outra intenção tens ao dizer esta oração?

R. Ao dizer esta oração, entendemos também agradecer ao anjo da guarda o cuidado amoroso, que continuamente nos dispensa.

---

2 A antiga versão portuguesa é:

Santo anjo do Senhor,
Meu zeloso guardador,
Pois que a ti me confiou
A piedade divina,
Sempre me rege e governa
E guarda e ilumina.

PARTE III
DOS MANDAMENTOS DE DEUS E DA IGREJA

Lição I
Dos mandamentos de Deus em geral

P. De que se trata na terceira parte da doutrina cristã?

R. Na terceira parte da doutrina cristã trata-se dos mandamentos da Lei de Deus e da Igreja.

P. Quantos são os mandamentos da Lei de Deus?

R. Os mandamentos da Lei de Deus são dez:

1º. Amar a Deus sobre todas as coisas;

2º. Não tomar o seu santo nome em vão;

3º. Guardar os domingos e festas;

4º. Honrar pai e mãe;

5º. Não matar;

6º. Não pecar contra a castidade;

7º. Não furtar;

8º. Não levantar falso testemunho;

9º. Não desejar a mulher do próximo;

10º. Não cobiçar as coisas alheias.

P. Quem deu estes mandamentos?

R. Foi o próprio Deus quem deu estes mandamentos na lei antiga, gravados em duas tábuas de pedra, e Jesus Cristo os confirmou na lei nova.

P. Que mandamentos continha a primeira tábua?

R. A primeira tábua continha os três primeiros mandamentos, que se referem à honra de Deus.

P. Que mandamentos continha a segunda tábua?

R. A segunda tábua continha os outros sete mandamentos, que se referem ao proveito do próximo.

P. Podemos nós observar estes mandamentos?

R. Sim, podemos observar estes mandamentos com a graça de Deus, pois Deus está pronto a conceder a sua graça a quem a pedir com as devidas disposições.

P. Somos obrigados a observar os mandamentos da Lei de Deus?

R. Sim, somos obrigados a observar os mandamentos da Lei de Deus, e basta pecar gravemente contra um só deles para merecer o inferno.

P. Que nos ordena Deus, em geral, nos seus mandamentos?

R. Nos seus mandamentos Deus ordena-nos que façamos o bem e evitemos o mal e, por isso, os mandamentos que Deus nos impõe são parte positivos e parte negativos.

Lição II
Do primeiro mandamento da Lei de Deus

P. Que nos ordena o primeiro mandamento: "Amar a Deus sobre todas as coisas"?

R. O primeiro mandamento: amar a Deus sobre todas as coisas, manda-nos conhecer, adorar, amar e servir a Deus, como nosso único e soberano Senhor.

P. Como se observa o primeiro mandamento?

R. O primeiro mandamento observa-se com o exercício do culto interno e externo.

P. Que é o culto interno?

R. O culto interno é a honra que tributamos a Deus com os atos íntimos de nossas faculdades espirituais: inteligência e vontade.

P. Que é o culto externo?

R. O culto externo é a honra que tributamos a Deus com atos exteriores e por meio de objetos sensíveis.

P. Não basta adorar a Deus somente em espírito e no íntimo do coração?

R. Não, não basta adorar a Deus somente em espírito e no íntimo do coração, é mister adorá-lo também com atos externos, devemos adorá-lo com o espírito e com o corpo, porque Deus é Criador e Senhor absoluto do espírito e do corpo.

P. Pode-se admitir o culto externo somente, sem o culto interno?

R. Não, não se pode admitir o culto exterior somente, sem o culto interno, porque o culto externo com exclusão do culto interno não tem significação nem eficácia, é como um corpo sem alma.

P. Que nos proíbe o primeiro mandamento?

R. O primeiro mandamento proíbe-nos a idolatria, a superstição, o sacrilégio, a heresia e qualquer outro pecado contra a religião.

P. Em que consiste a idolatria?

R. A idolatria consiste em dar à criatura o culto que é devido somente a Deus.

P. Quando se comete a superstição?

R. Comete-se a superstição quando se pretende honrar a Deus com práticas e modos indevidos.

P. Que é o sacrilégio?

R. O sacrilégio é a profanação dos lugares, das coisas e das pessoas consagradas a Deus ou destinadas a seu culto.

P. Que é a heresia?

R. A heresia é um erro culpável da inteligência, pelo qual se nega com obstinação alguma verdade de fé.

P. Que outras coisas nos proíbe o primeiro mandamento?

R. O primeiro mandamento proíbe-nos também qualquer comércio com o demônio, filiar-nos em seitas anticristãs, como a maçonaria, o espiritismo etc., assistir a suas sessões e práticas, prestar-lhes auxílio e ler seus livros etc.

P. Será lícito assistir às conferências dos protestantes e outros hereges, ler seus livros e tomar parte em suas práticas?

R. Não, é pecado assistir às práticas e conferências dos protestantes e outros hereges, e ler seus livros religiosos, não só pelo perigo da própria perversão, como pelo favor que com isso se lhes presta e pelo escândalo que se dá ao próximo.

P. Podemos honrar os anjos e os santos?

R. Sim, podemos honrar os anjos e os santos e até devemos fazê-lo; porque os honramos como amigos de Deus e nossos intercessores junto a ele.

P. Podemos também honrar as sagradas imagens de Jesus Cristo e dos santos?

R. Sim, podemos honrar as sagradas imagens de Jesus Cristo e dos santos, porque a honra que se atribui às sagradas imagens de Jesus Cristo e dos santos não para nelas, mas se refere às próprias pessoas de Jesus Cristo e dos santos.

P. E podemos honrar as relíquias dos santos?

R. Sim, podemos e devemos honrar as relíquias dos santos, porque seus corpos foram membros vivos de Jesus Cristo e templo do Espírito Santo, e hão de ressuscitar gloriosos para a vida eterna.

P. Sendo Jesus Cristo o nosso único mediador junto de Deus, por que recorremos também à mediação de Maria Santíssima e dos santos?

R. É verdade que Jesus Cristo é junto de Deus o nosso único mediador, pois sendo verdadeiro Deus e verdadeiro homem Ele, por si só, em virtude dos próprios merecimentos, nos reconciliou com Deus e nos conseguiu todas as graças, mas recorremos, ainda, à mediação da Santíssima Virgem e dos santos porque eles, em virtude dos merecimentos de Jesus Cristo e pela caridade, que os une a Deus e a nós, nos auxiliam intercedendo por nós para nos obterem as graças que lhes suplicamos.

P. Que diferença há entre o culto que damos a Deus e o que damos aos santos?

R. Entre o culto que damos a Deus e o que damos aos santos há esta diferença: que a Deus damos o culto de adoração, e aos santos, não os adoramos, mas os honramos e veneramos como amigos de Deus, nossos protetores e intercessores junto a Deus.

O culto que se dá a Deus chama-se culto de *latria*, isto é, de adoração; o culto que se dá aos santos chama-se culto de *dulia*, isto é, de veneração, aos servos de Deus; finalmente, o culto especial que prestamos a Maria Santíssima chama-se de hiperdulia, isto é, de especialíssima veneração, como Mãe de Deus.

Lição III
Do segundo mandamento da Lei de Deus

P. Que nos proíbe o segundo mandamento: "Não tomar o santo de Deus em vão"?

R. O segundo mandamento nos proíbe: pronunciar o nome de Deus sem respeito; fazer juramentos falsos ou desnecessários ou de qualquer modo ilícitos; blasfemar contra Deus, contra a Santíssima Virgem e contra os santos.

P. Que é blasfêmia?

R. Blasfêmia é toda palavra de desprezo ou de maldição contra Deus, contra a Santíssima Virgem, contra os santos ou contra as coisas santas.

P. Que diferença há entre a blasfêmia e a imprecação ou praga?

R. A diferença que há entre a blasfêmia e a imprecação ou praga é que a blasfêmia é um insulto dirigido diretamente a Deus, à Virgem Santíssima ou aos santos, e a imprecação ou praga é uma maldição ou um mal que se deseja ao próximo ou a si mesmo.

P. Que nos manda o segundo mandamento?

R. O segundo mandamento manda-nos honrar o santo nome de Deus e cumprir os votos e juramentos.

P. Que é voto?

R. Voto é a promessa deliberada feita somente a Deus de um bem possível e melhor.

P. Se o cumprimento do voto se tornasse de todo ou em parte muito difícil, que se deveria fazer?

R. Se o cumprimento do voto se tornasse de todo ou em parte muito difícil, poder-se-ia pedir a comutação ou a dispensa do mesmo ao próprio bispo ou ao sumo pontífice, segundo a qualidade do voto.

P. Que é juramento?

R. Juramento é a invocação de Deus em testemunho da verdade do que se diz ou da promessa que se faz.

P. Será permitido alguma vez jurar falso?

R. Não, nunca é permitido e é sempre pecado grave jurar falso, ainda que fosse para salvar a própria vida ou a de nosso próximo, porque seria fazer a Deus confirmador da mentira.

Lição IV
Do terceiro mandamento da Lei de Deus

P. Que nos manda o terceiro mandamento: "Guardar os domingos e festas"?

R. O terceiro mandamento nos manda honrar a Deus com obras de piedade cristã nos dias de festa dedicados ao seu culto.

P. Quais são os dias de festa?

R. Os dias de festa na lei nova são os domingos e os outros dias estabelecidos pela Igreja.

P. Por que na lei nova o domingo é um dia santificado?

R. Porque o domingo, que se chama *dia do Senhor*, recorda a Ressurreição de Jesus Cristo.

P. Qual era na lei antiga o dia consagrado ao Senhor?

R. Na lei antiga o dia consagrado ao Senhor era o sábado, o dia do descanso para o povo de Deus.

P. Que obra de piedade cristã nos é mandada nos dias de festa?

R. Nos dias de festa nos é mandado assistir devotamente ao santo sacrifício da missa.

P. Com que outras obras um bom cristão santifica as festas?

R. O bom cristão santifica as festas assistindo à doutrina cristã, às prédicas e aos ofícios divinos, recebendo frequentemente com as devidas disposições os sacramentos da Penitência e da Eucaristia, instituídos para a nossa salvação e praticando a oração e as obras de caridade cristã para com o próximo.

P. Que nos proíbe o terceiro mandamento?

R. O terceiro mandamento proíbe-nos as obras servis e qualquer trabalho que impeça o culto de Deus.

P. Que entendes por obras servis?

R. Obras servis são os trabalhos braçais, próprios dos servos, artífices e operários, obras em que mais toma parte o corpo do que o espírito.

P. É permitida alguma obra servil aos domingos e festas?

R. Sim, as obras servis são permitidas aos domingos e festas de guarda quando são necessárias para a sustentação da vida ou para o serviço de Deus; e as que se fazem por motivo grave com licença do próprio pároco, se for possível.

P. Que outras obras devemos evitar principalmente nos dias de festa?

R. Nos dias de festa devemos evitar principalmente todas as obras que podem conduzir ao pecado, como frequentar casas de jogo, tavernas, espetáculos perigosos, más companhias etc.

Não são proibidos, porém, os divertimentos honestos, fora das horas empregadas nos deveres religiosos.

Lição V
Do quarto mandamento da Lei de Deus

P. Que nos manda o quarto mandamento: "Honrar pai e mãe"?

R. O quarto mandamento manda-nos amar e respeitar pai e mãe, obedecer-lhes em tudo o que não seja pecado e auxiliá-los em todas as suas necessidades espirituais e temporais.

P. Que mais nos prescreve o quarto mandamento?

R. O quarto mandamento prescreve-nos também o respeito e a obediência a todos os nossos superiores eclesiásticos ou leigos.

P. Que nos proíbe o quarto mandamento?

R. O quarto mandamento nos proíbe ofender aos nossos pais e superiores com palavras e obras e de qualquer outro modo.

P. Que mais se contém no quarto mandamento?

R. No quarto mandamento contém-se, ainda, as obrigações dos pais para com os filhos e dos superiores para com seus subalternos.

P. Quais são as obrigações dos pais para com os filhos?

R. As obrigações dos pais para com os filhos se referem à vida temporal e espiritual.

P. Quais são as obrigações referentes à vida temporal?

R. Quanto à vida temporal, os pais são obrigados a preservar seus filhos dos males temporais e a alimentá-los conforme a sua condição, a tratá-los em suas enfermidades e procurar-lhes meios honestos de viver na sociedade.

P. Quais são as obrigações referentes à vida espiritual?

R. Quanto à vida espiritual dos filhos, os pais são obrigados a procurar-lhes sem demora o batismo, conservar-lhes a inocência, encaminhá-los para Deus desde seus primeiros passos, ensinar-lhes a doutrina, fazê-los praticar a religião, afastá-los das más companhias, das más escolhas e dos maus mestres, e dar-lhes bons exemplos.

P. Quais são, em geral, os deveres dos superiores para com os seus subalternos?

R. Os superiores são geralmente obrigados a amar, corrigir, velar, proteger os seus subalternos e dar-lhes bom exemplo.

P. De onde vem a autoridade dos pais para mandar nos filhos e a obrigação dos filhos de obedecer a seus pais?

R. A autoridade dos pais para mandar em seus filhos e a obrigação dos filhos de obedecer a seus pais vem de Deus, autor e ordenador da família, a fim de que o homem nela encontre os primeiros elementos necessários para o seu aperfeiçoamento material e espiritual.

P. Deu-nos Deus algum modelo perfeito da família?

R. Sim. Deus deu-nos um perfeito modelo da família na Sagrada Família de Nazaré, na qual Jesus Cristo viveu sujeito a Maria Santíssima e a São José até os 30 anos, isto é, até começar a missão que recebera de Deus Pai de pregar o Evangelho.

P. Se as famílias vivessem isoladas, separadas umas das outras, poderiam prover a todas as suas necessidades materiais e morais?

R. Não. Se as famílias vivessem isoladas, separadas umas das outras, não poderiam prover a todas as suas necessidades. Foi necessário que se unissem para formar a sociedade civil, a fim de se auxiliarem mutuamente e de conseguirem o aperfeiçoamento e a felicidade comum.

P. Que é a sociedade civil?

R. A sociedade civil é a união de muitas famílias dependentes da autoridade de um chefe, para se auxiliarem reciprocamente e conseguirem o mútuo aperfeiçoamento e a felicidade temporal.

P. De onde vem à sociedade civil a autoridade que a governa?

R. A autoridade que governa a sociedade civil vem de Deus, que a quer constituída para o bem comum.

P. Somos todos obrigados a respeitar e obedecer à autoridade constituída que governa a sociedade civil?

R. Sim, todos nós somos obrigados a respeitar e obedecer à autoridade constituída, porque ela vem de Deus e porque assim o exige o bem comum.

P. Devem-se respeitar todas as leis da autoridade civil?

R. Sim, devem-se respeitar todas as leis da autoridade civil, contanto que não sejam contrárias à Lei de Deus, porque, no caso de colisão entre as leis, sempre devem prevalecer as de Deus, lembrando-nos que em primeiro lugar somos cristãos e depois cidadãos.

P. Os que compõem a sociedade civil têm outras obrigações, além de respeitar as leis e obedecer-lhes?

R. Sim, os que compõem a sociedade civil, além da obrigação que têm de respeitar as leis e obedecer-lhes, têm mais a de viver em harmonia e de envidar todos os meios a seu alcance a fim de que, para vantagem comum, a sociedade seja virtuosa, pacífica, ordenada e próspera.

Lição VI
Do quinto mandamento da Lei de Deus

P. Que nos proíbe o quinto mandamento: "Não matar"?

R. O quinto mandamento proíbe-nos matar, espancar, injuriar, odiar e escandalizar o próximo.

P. Por que é pecado grave matar o próximo?

R. É pecado grave matar o próximo, porque quem mata a outrem usurpa temerariamente um direito que é exclusivo de Deus, qual é o de tirar a vida ao homem; porque destrói a segurança da sociedade e, finalmente, porque tira ao próximo a vida, que é o maior bem natural que pode existir na terra.

P. Haverá casos em que seja lícito matar o próximo?

R. Sim, é lícito matar o próximo em uma guerra justa e também quando se trata de necessária e legítima defesa da própria vida contra um injusto agressor.

P. É também pecado grave causar dano à vida espiritual do próximo pelo escândalo?

R. Sim, é pecado grave causar dano à vida espiritual do próximo pelo escândalo.

P. Que é escândalo?

R. Escândalo é uma palavra, um ato ou uma omissão capaz de dar ao próximo ocasião de pecar.

P. Por que é que o escândalo é pecado grave?

R. O escândalo é pecado grave porque ele destrói os frutos da Redenção, arrebatando das mãos do Divino Redentor as almas que custaram o seu sangue e a sua morte na cruz, porque priva a alma da vida da graça, que é mais preciosa que a vida do corpo e porque é a causa de inúmeros pecados e de gravíssimos crimes. Por isso é que Deus ameaça o escandaloso com severíssimos castigos.

P. A que fica obrigado o escandaloso pelo escândalo dado?

R. O escandaloso fica obrigado, quanto lhe é possível, a reparar os prejuízos espirituais, que causou ao próximo com seus escândalos, dando bons exemplos às pessoas que escandalizou e procurando chamá-las ao bom caminho.

P. Este mandamento proíbe também o suicídio?

R. Sim, este mandamento proíbe certamente o suicídio, porque o homem não é senhor de sua vida, como não o é da vida dos outros. Por isso não pode procurar a morte própria.

P. Que pecado comete o suicida?

R. O suicida comete um gravíssimo pecado contra Deus, contra a sociedade e contra si próprio, por isso a Igreja o pune com a privação da sepultura eclesiástica.

P. É também proibido o duelo?

R. Sim, o duelo também é proibido, porque participa da malícia do suicídio e do homicídio e incorre em excomunhão todo aquele que tomar parte no duelo, ainda como simples espectador.

P. Mas se for excluído o perigo de morte, é ainda proibido o duelo?

R. Sim, ainda neste caso é proibido o duelo, porque não só não é lícito matar, como também ferir voluntariamente a si próprio ou a outrem.

P. E tratando-se de defender a própria honra, não será lícito o duelo?

R. Não, nem assim, porque é verdade que no duelo haja reparação da honra, e até mesmo porque não se pode reparar a honra com uma ação injusta, irrazoável e bárbara como é o duelo.

P. Que nos manda o quinto mandamento?

R. O quinto mandamento nos manda perdoar as ofensas e amar, ainda, os inimigos.

Lição VII
Do sexto mandamento da Lei de Deus

P. Que nos proíbe o sexto mandamento: "Não pecar contra a castidade"?

R. O sexto mandamento proíbe-nos qualquer ato, olhar, palavra ou pensamento contrário à castidade.

P. Que nos manda o sexto mandamento?

R. O sexto mandamento nos manda ser puros em pensamentos, palavras e obras, nas mesmas vistas e em todo o nosso porte.

P. Que cumpre fazer para observar bem o sexto mandamento?

R. Para observar bem o sexto mandamento cumpre implorar de coração a graça divina, ter devoção a Maria Santíssima, mãe da pureza, pensar que Deus nos está vendo, meditar na Paixão de Jesus Cristo, na morte, nos castigos divinos e frequentar com as devidas disposições os sacramentos.

P. Que mais ainda cumpre fazer?

R. Cumpre pensar profundamente na hediondez desse vício, que profana o templo de Deus vivo, que é nosso corpo; nos males que dele resultam para a alma e para o corpo; evitar a ociosidade e a intemperança, as ocasiões perigosas e as más companhias, as leituras de livros e jornais indecentes; guardar os sentidos e praticar a mortificação cristã.

Lição VIII
Do sétimo mandamento da Lei de Deus

P. Que nos proíbe o sétimo mandamento: "Não furtar"?

R. O sétimo mandamento proíbe-nos tirar e reter injustamente o alheio, causar danos ao próximo nos seus bens ou de qualquer modo, por violência, por fraude ou dolo, ou por usura.

P. Que é furtar?

R. Furtar é tirar injustamente o alheio contra a vontade do dono.

P. Por que é proibido o furto?

R. O furto é proibido porque é um pecado contra a justiça e uma injúria que se faz ao próximo, pois que, pelo furto, se tira ao próximo e se retém contra o seu direito e contra a sua vontade o que lhe pertence.

P. Que é o alheio?

R. O alheio é tudo o que pertence ao próximo, tudo aquilo de que ele tem propriedade e uso.

P. De quantos modos se podem tirar injustamente os bens alheios?

R. Podem-se tirar injustamente os bens alheios de dois modos: pelo furto e pelo roubo.

P. Como se comete o furto?

R. Comete-se o furto tirando ocultamente o bem alheio.

P. Como se comete o roubo?

R. Comete-se o roubo tomando com violência e publicamente o bem de outrem.

P. Haverá algum caso em que se possa tomar o bem alheio sem pecado?

R. Sim, no caso de necessidade extrema pode--se tomar o bem alheio sem pecado, porque, neste caso, todos os bens são comuns. Deve-se tomar, contudo, somente o estritamente necessário para satisfazer a urgente e extrema necessidade.

P. É somente pelo furto e pelo roubo que se causa dano ao próximo em seus bens?

R. Não, causa-se dano ao próximo também pela fraude.

Os negociantes que enganam no peso e no preço, na qualidade ou quantidade das mercadorias; os empregados e funcionários que, no exercício de seus empregos, prejudicam os particulares, o fisco ou as empresas; os que defendem causas manifestamente injustas; os oficiais, operários, mercenários etc., que faltam com o trabalho devido e os patrões que não pagam o salário justo, todos estes pecam contra este mandamento, por fraude ou dolo.

P. De que modo se comete a usura?

R. Comete-se a usura exigindo, sem legítimo título, ilícito interesse por uma soma emprestada, abusando da necessidade ou da ignorância de outrem.

P. Quando é grave a matéria do furto?

R. A matéria do furto é grave quando se tira coisa de valor ou, embora não seja de valor, quando o próximo sofre com a privação dela grave dano.

P. Que nos manda o sétimo mandamento?

R. O sétimo mandamento manda-nos pagar as dívidas e restituir o alheio, quer furtado, quer encontrado; pagar o justo salário aos operários e respeitar a propriedade alheia.

P. A quem tiver pecado contra o sétimo mandamento basta confessar-se disto?

R. Não, a quem tiver pecado contra o sétimo mandamento não basta confessar-se disto; é mister que faça toda a diligência para restituir o bem alheio e reparar os danos.

P. Em que consiste a reparação dos danos?

R. A reparação dos danos consiste em compensar o próximo pelos lucros cessantes e pelos prejuízos emergentes causados pelo furto.

P. A quem se deve restituir a coisa furtada?

R. A coisa furtada deve ser restituída a quem se furtou ou a seus herdeiros, em caso de morte do legítimo senhor, e, se isto ainda fosse impossível, deve-se aplicar a coisa furtada ou o valor equivalente em benefício dos pobres ou de obras pias.

P. Que se deve fazer quando se encontra um objeto de grande valor?

R. Quando se encontra um objeto de grande valor deve-se empregar toda a diligência para o restituir fielmente a seu dono.

P. Devemo-nos contentar só de não tomar ou de não reter o alheio?

R. Não, devemos também socorrer o nosso próximo em suas necessidades com a esmola que Deus tanto recomenda e premeia.

Lição IX
Dos três últimos mandamentos da Lei de Deus

P. Que nos proíbe o oitavo mandamento: "Não levantar falso testemunho"?

R. O oitavo mandamento proíbe-nos dar testemunho falso em juízo; proíbe mais a detração, a calúnia, a adulação, o juízo temerário, a suspeita e qualquer espécie de mentira.

P. Que é a detração?

R. A detração ou murmuração é a manifestação sem causa justa das faltas ocultas do próximo.

P. Que é a calúnia?

R. A calúnia é uma acusação ou imputação feita ao próximo, por palavras ou por escrito, de faltas que ele não tem.

P. A que é obrigado o caluniador?

R. O caluniador é obrigado a retratar a calúnia e reparar todos os danos que por ela causou.

P. Que é juízo temerário ou suspeita temerária?

R. Juízo temerário ou suspeita temerária é julgar ou supor mal do próximo sem fundamento e sem justo motivo.

P. Que é mentira?

R. Mentira é falar contra o que se pensa para enganar.

P. A mentira é sempre pecado?

R. Sim, a mentira é sempre pecado, grave ou leve, conforme a matéria ou o dano que produz.

P. Que nos manda o oitavo mandamento?

R. O oitavo mandamento manda-nos dizer em tempo e lugar a verdade e interpretar bem, quanto pudermos, os atos de nosso próximo.

P. Que nos proíbe o nono mandamento: "Não desejar a mulher do próximo"?

R. O nono mandamento proíbe-nos os maus desejos e todos os pecados internos contra a virtude da pureza.

P. São pecados todos os pensamentos que nos vêm à mente contra a pureza?

R. Não, os pensamentos contrários à pureza, por si mesmos, não são pecados, mas, antes, tentações e incentivos para o pecado.

P. Mas então quando são pecados esses pensamentos?

R. Os pensamentos contrários à pureza são pecados quando voluntariamente são procurados ou admitidos e muito mais quando se resolvem com prazer ou com desejo de praticar o que eles representam.

P. Que nos manda o nono mandamento?

R. O nono mandamento manda-nos ser puros e castos nos pensamentos, desejos e afeições.

P. Que nos proíbe o décimo mandamento: "Não cobiçar as coisas alheias"?

R. O décimo mandamento proíbe-nos o desejo desregrado de possuir as coisas alheias e a intenção de as adquirir por meios injustos.

P. Por que nos proíbe Deus até o desejo das coisas alheias?

R. Deus proíbe-nos os desejos desordenados, a cobiça das coisas alheias, porque quer que ainda internamente sejamos justos e nos conservemos sempre afastados das obras injustas.

P. O décimo mandamento proíbe também o socialismo?

R. Sim, o décimo mandamento proíbe também o socialismo, porque inspira o desejo de adquirir as coisas alheias por meios injustos e violentos.

P. Que nos manda o décimo mandamento?

R. O décimo mandamento manda contentar-nos com o estado ou com a condição em que Deus nos colocou ou nos fez nascer, e sofrer com paciência a pobreza, quando Deus nos queira nesse estado.

P. Como poderá o cristão conservar-se satisfeito no estado de pobreza?

R. O cristão poderá conservar-se satisfeito no estado de pobreza, considerando que o maior de todos os bens é uma consciência pura e tranquila, que a nossa pátria verdadeira está no céu, que Jesus Cristo se fez pobre por amor de nós e prometeu um prêmio especial a todos os que suportarem com paciência a sua pobreza.

Lição X
Dos mandamentos da Igreja em geral

P. Além dos mandamentos de Deus, que outros devemos observar?

R. Além dos mandamentos de Deus devemos observar os mandamentos da Igreja.

P. Quem deu à Igreja o poder de fazer mandamentos?

R. Foi Jesus Cristo, que comunicou sua própria autoridade à Igreja que Ele nos deu por mãe e mestra.

P. Somos obrigados a obedecer à Igreja?

R. Sim, somos obrigados a obedecer à Igreja, porque Jesus Cristo mesmo nos ordena e diz que quem desobedecer à Igreja a Ele mesmo desobedece.

P. Por qual outro motivo devemos ainda obedecer à Igreja?

R. Porque seus mandamentos nos ajudam a observar os mandamentos de Deus.

P. Quantos são os mandamentos da Igreja?

R. Os principais e mais comuns mandamentos da Igreja são cinco:

1º. Ouvir missa inteira nos domingos e festas de guarda;

2º. Confessar-se ao menos uma vez cada ano;

3º. Comungar ao menos uma vez pela Páscoa da Ressurreição;

4º. Jejuar e abster-se de carne quando manda a Santa Madre Igreja;

5º. Pagar dízimos, segundo o costume.

Lição XI
Do primeiro mandamento da Igreja

P. Que nos manda o primeiro mandamento da Igreja: "Ouvir missa inteira nos domingos e festas de guarda"?

R. O primeiro mandamento da Igreja manda-nos ouvir missa inteira todos os domingos e nas outras festas de preceito, estando na Igreja com gravidade e devoção desde o princípio até o fim da missa.

P. Qual é a missa que a Igreja particularmente deseja que os fiéis ouçam todos os domingos e outras festas de preceito?

R. A Igreja deseja que os fiéis ouçam de preferência, todos os domingos e outras festas de preceito, a missa paroquial.

P. Por que recomenda a Igreja aos fiéis que ouçam a missa paroquial?

R. A Igreja recomenda aos fiéis que ouçam missa paroquial:

1º. Para que unidos rezem juntamente com o pároco, que é o seu chefe;

2º. Para que mais abundantemente participem do sacrifício, que principalmente se aplica por eles nesses dias;

3º. Para que aprendam as máximas do Evangelho, que os párocos devem explicar nessa missa paroquial;

4º. Para que tenham conhecimento das determinações particulares e avisos que nessa missa o pároco houver de comunicar.

P. Que quer dizer "domingo"?

R. Domingo quer dizer dia do Senhor, isto é, dia especialmente consagrado ao serviço de Deus.

P. Por que se faz especial menção do domingo neste mandamento?

R. Porque o domingo é a festa principal dos cristãos, como o sábado era a festa principal dos judeus, instituída pelo mesmo Deus.

P. Por qual autoridade a festa de sábado foi substituída pelo domingo?

R. A festa de sábado foi substituída pelo domingo por autoridade dos apóstolos da Igreja.

P. Por que razão se fez essa mudança?

R. Essa mudança fez-se em memória da Ressurreição de Nosso Senhor e da descida do Espírito Santo, acontecidas em dia de domingo.

P. Que outras festas instituiu a Igreja?

R. A Igreja instituiu as festas de Nosso Senhor, da Santíssima Virgem, dos anjos e dos santos.

P. Por que instituiu a Igreja as festas de Nosso Senhor?

R. A Igreja instituiu as festas de Nosso Senhor para comemorar seus divinos mistérios.

P. Por que instituiu a Igreja as festas da Santíssima Virgem, dos anjos e dos santos?

R. A Igreja instituiu as festas da Santíssima Virgem, dos anjos e dos santos:

1º. Para comemorar as graças que Deus lhes fez e, por isso, agradecer a divina bondade;

2º. Para honrar a Santíssima Virgem, os anjos e os santos;

3º. Para tornar lembrados os seus exemplos e estimular-nos a imitá-los e implorar o auxílio de sua intercessão.

Lição XII
Do segundo e terceiro mandamentos da Igreja

P. Que nos manda o segundo mandamento da Igreja: "Confessar-se ao menos uma vez cada ano"?

R. O segundo mandamento da Igreja obriga a todos os cristãos que tiverem o uso da razão a se confessarem ao menos uma vez cada ano.

P. Qual é o tempo mais oportuno para satisfazer o preceito da confissão anual?

R. O tempo mais oportuno para satisfazer o preceito da confissão anual é a Quaresma, segundo o uso introduzido e aprovado em toda a Igreja.

P. Por que diz a Igreja que nos confessemos ao menos uma vez cada ano?

R. A Igreja diz *ao menos*:

1º. Para nos dar a conhecer o seu desejo de que nos confessemos mais frequentemente;

2º. Para nos lembrar que nos confessemos quanto antes, quando nos reconhecermos culpados de pecado mortal.

P. É então coisa boa confessar-nos frequentemente?

R. Sim, confessar-nos frequentemente é coisa muito boa, principalmente porque, quem raras vezes se confessa, é difícil que se confesse bem e evite os pecados mortais.

P. Que nos manda o terceiro mandamento da Igreja: "Comungar ao menos pela Páscoa da Ressurreição"?

R. O terceiro mandamento da Igreja obriga a todos os cristãos que atingiram a idade da discrição a comungar todos os anos, durante o tempo pascal.

P. Que se entende por idade da discrição?

R. Por idade da discrição entende-se a idade em que o homem é capaz de discernir o que se contém nos sacramentos e recebê-los com as devidas disposições; o que costuma ser desde os 7 anos. Por isso, com razão, reprova a Santa Igreja o abuso de prolongar muito para além dos 7 anos a primeira comunhão das crianças.

P. Que se entende aqui por tempo pascal?

R. Por tempo pascal entende-se aqui o tempo que vai de Domingo de Ramos até a oitava da Páscoa.

P. Em que tempo do ano podemos satisfazer no Brasil a obrigação da comunhão pascal?

R. No Brasil, podemos satisfazer a obrigação da comunhão pascal, a começar do domingo da septuagésima até a oitava da Festa do Corpo de Deus, inclusive.

P. Quem fizer a confissão ou comunhão sacrílega, cumprirá o preceito?

R. Não, quem fizer a confissão ou comunhão sacrílega não cumprirá o preceito porque a intenção da Igreja é que se recebam estes sacramentos para o fim por que foram instituídos, isto é, para nossa santificação.

Lição XIII
Do quarto mandamento da Igreja

P. Que nos manda o quarto mandamento da Igreja?

R. O quarto mandamento manda-nos jejuar e abster-nos da carne nos dias marcados pela Igreja.

P. Em que consiste o jejum?

R. O jejum consiste em não se fazer mais de uma refeição principal ao dia.

P. Qual é a hora da refeição ou do jantar nos dias de jejum?

R. A hora da refeição ou do jantar nos dias de jejum é ao meio-dia.

P. Não se poderá mudar esta hora?

R. Sim, havendo causa justa é permitido jantar em outra hora.

P. Além do jantar, não será permitido tomar algum outro alimento?

R. Sim, pode-se fazer também uma pequena refeição, a que se dá o nome de *consoada*, à noite, se o jantar for ao meio-dia, ou pela manhã, se o jantar for à tarde. Nessa consoada, porém, nunca se poderá comer carne, ainda quando se possa comer ao jantar. Também pelo costume, se tolera tomar pela manhã café, chá ou vinho e uma fatia de pão, de peso não superior a duas onças, ou de outra massa que não contenha ovos nem laticínios, ao que se dá o nome de *parva*.

P. Quais são os alimentos proibidos nos dias de jejum?

R. Nos dias de jejum são proibidos os alimentos de carne e os laticínios, por lei geral.

No Brasil, porém, permitem-se em todos esses dias os ovos e laticínios e, por indulto que os senhores bispos renovam a cada ano, permite-se também o uso da carne ao jantar, exceto na Quarta-feira de Cinzas, nas Sextas-feiras da Quaresma, na Quarta e na Quinta-feira da Semana Santa, no Sábado de Aleluia, nas vigílias de Pentecostes, de São João Batista, de São Pedro e São Paulo, da Assunção de Nossa Senhora, de Todos os Santos, do Natal e da Santíssima Trindade.

Assim, pois, no Brasil, afora estes dias mencionados, pode-se comer carne ao jantar em todos os outros dias de jejum, contanto que nunca se misture carne com peixe na mesma refeição.

P. Os líquidos são considerados alimentos proibidos nos dias de jejum?

R. São considerados alimentos proibidos nos dias de jejum os líquidos alimentícios, como caldo, leite, café com lei etc.; os outros, tais como café, chá, cerveja, vinho etc., são permitidos mesmo fora das refeições.

P. Para que serve o jejum?

R. O jejum serve para nos dispor melhor à oração, para penitência dos pecados cometidos e para nos preservar de os tornar a cometer.

P. Quais são os dias de jejum?

R. Os dias de jejum são todos os dias da Quaresma, até o Sábado de Aleluia inclusive, exceto os domingos; todas as quartas-feiras, sextas e sábados das Quatro Têmporas; as sextas-feiras e sábados do Advento; as vigílias de Pentecostes, de São João Batista, de São Pedro e São Paulo, da Assunção de Nossa Senhora, de Todos os Santos e do Natal.

P. Para que fim foi instituída a Quaresma?

R. A Quaresma foi instituída:

1º. Para imitar de algum modo o rigoroso jejum de 40 dias feito por Jesus Cristo no deserto;

2º. Para nos preparar por meio da penitência a celebrar santamente a Páscoa.

P. Para que fim foi instituído o jejum do Advento?

R. O jejum do Advento foi instituído para nos dispor a celebrar santamente o nascimento do Nosso Senhor Jesus Cristo.

P. Para que fim foi instituído o jejum das Quatro Têmporas?

R. O jejum das Quatro Têmporas foi instituído:

1º. Para santificar cada estação do ano com alguns dias de penitência;

2º. Para pedir a Deus que nos dê e conserve os frutos da terra;

3º. Para agradecer a Deus os frutos concedidos;

4º. Para pedir a Deus que dê à sua Igreja bons ministros, cuja ordenação se faz ordinariamente nos sábados das Quatro Têmporas.

P. Para que fim se instituiu o jejum das vigílias?

R. Para preparar-nos a celebrar santamente as festas principais.

P. Quem está obrigado a jejuar?

R. Estão obrigados a jejuar todos os cristãos que tiverem completado 21 anos de idade, a não ser que tenham algum impedimento, como trabalho pesado, enfermidade etc. Consideram-se também dispensados do jejum os que tiverem completado 60 anos de idade.

P. Os que não estiverem obrigados ao jejum estão inteiramente dispensados da mortificação?

R. Não, os que não estiverem obrigados ao jejum nem por isso estão isentos da mortificação, porque ninguém está dispensado da lei geral de fazer penitência.

P. Os que não estão obrigados ao jejum poderão misturar na comida carne com peixe em dias de jejum ainda que dispensados?

R. Não, nunca se pode fazer essa mistura em dias de jejum, ainda que dispensados, e nem mesmo nos Domingos da Quaresma.

P. Que nos proíbe o quarto mandamento?

R. O quarto mandamento proíbe geralmente aos fiéis comer carne nos dias de jejum e nas sextas-feiras e sábados do ano, exceto o caso de impedimento justo, ou de dispensa.

P. Por que quis a Igreja que nos abstivéssemos de carne nas sextas-feiras e nos sábados?

R. Quis a Igreja que nos abstivéssemos de carne nas sextas-feiras e nos sábados para fazermos penitência cada semana, principalmente à sexta-feira, em honra da paixão, e ao sábado, em honra da sepultura de Jesus Cristo.

P. Será pecado grave não jejuar ou não se abster de carne nos dias determinados?

R. Sim, é pecado grave não jejuar ou não se abster de carne nos dias determinados sem causa justa ou dispensa.

P. Quem pode dispensar do jejum e da abstinência?

R. Pode dispensar do jejum e da abstinência o papa em toda a Igreja, e os bispos em suas dioceses, em casos particulares.

P. Não há um indulto mais amplo para a América Latina?

R. Sim, por indulto apostólico, os senhores bispos da América Latina podem dispensar com os fiéis em quase todos os dias de jejum e de abstinência.

P. Em virtude dessa dispensa, em que dias os fiéis são obrigados a jejuar ou abster-se de carne?

R. Em virtude dessa dispensa os fiéis são obrigados:

1º. A jejuar com abstinência na Quarta-feira de Cinzas, nas sextas-feiras da Quaresma e na Quinta-feira Santa;

2º. A jejuar sem abstinência nas quartas-feiras da Quaresma e nas sextas-feiras do Advento;

3º. A guardar abstinência sem jejum nas vigílias do Natal, de Pentecostes, da Assunção de Nossa Senhora, de São Pedro e São Paulo.

Lição XIV
Do quinto mandamento da Igreja

P. Como se observa o quinto mandamento: "Pagar dízimos", segundo o costume?

R. Observa-se o quinto mandamento, contribuindo por direito natural e divino com o necessário para o sustento do culto e dos ministros da religião, na forma costumada ou como determina a Igreja.

P. Que outras coisas, além dos mandamentos de Deus e da Igreja, devem praticar os cristãos?

R. Cada um é obrigado a cumprir fielmente os deveres e obrigações do próprio estado.

P. Quais são os deveres e obrigações do próprio estado?

R. Os deveres e obrigações do próprio estado são certas e especiais obrigações, inerentes ao estado, à condição ou ao ofício que tem o homem na sociedade.

P. Quem impôs a esses diversos estados particulares suas especiais obrigações?

R. Foi o mesmo Deus quem impôs aos diversos estados particulares suas respectivas obrigações e deveres; porque estas obrigações e deveres particulares derivam dos mandamentos divinos.

P. Explique com um exemplo como essas obrigações e deveres particulares derivam dos dez mandamentos.

R. No quarto mandamento, debaixo da denominação de pai e mãe, incluem-se também todos os nossos superiores; por isso do quarto mandamento se derivam todos os deveres de vigilância, de caridade e amor, dos inferiores para com seus superiores, e reciprocamente dali se derivam todos os deveres de vigilância, de caridade e amor que devem ter os superiores para com seus súditos.

P. De que mandamento derivam os deveres dos artistas, dos oficiais, dos comerciantes, dos administradores de patrimônio, de fazendas, de obras etc.?

R. Os deveres de fidelidade, de sinceridade, de justiça, de equidade, que todos esses têm, derivam do sétimo, do oitavo e do décimo mandamentos, que proíbem a fraude, a injustiça, o furto, o fingimento, a negligência.

P. Os deveres dos ministros da religião, sacerdotes, religiosos, congregados, de que mandamentos derivam?

R. Os deveres dos ministros da religião, sacerdotes, religiosos, congregados, derivam do segundo mandamento, que obriga a cumprir os votos e as promessas feitas a Deus.

Lição XV
Do pecado

P. Explicaste os mandamentos da Lei de Deus. Dizei-me, agora, como se opõe o homem a estes mandamentos?

R. O homem opõe-se aos mandamentos de Deus pelo pecado.

P. Então, que é o pecado?

R. Pecado é uma ofensa feita a Deus pela violação advertida e voluntária de seus preceitos.

P. Que é pecado atual?

R. O pecado atual é o ato ou omissão contra a lei de Deus, que o homem comete, de sua livre-vontade, quando chega ao uso da razão.

P. Como se divide o pecado atual?

R. O pecado atual se divide em *mortal* e *venial*.

P. Que é pecado mortal?

R. O pecado mortal é a transgressão de um preceito grave com plena advertência do entendimento e consentimento da vontade.

P. Por que se chama pecado mortal?

R. Chama-se pecado mortal porque dá a morte à alma, privando-a da graça santificante, que é sua vida.

P. Que é pecado venial?

R. O pecado venial é a transgressão de um preceito leve ou, ainda, de um grave sem a perfeita advertência ou sem pleno consentimento.

P. Por que se chama pecado venial?

R. Chama-se venial porque se pode alcançar facilmente o perdão dele não tira a vida da alma.

P. De quantos modos se pode pecar?

R. Podemos pecar de quatro modos: por *pensamento, palavras, obras* e *omissões*.

P. Que castigo merece quem peca mortalmente?

R. Quem peca mortalmente merece as penas do inferno para sempre, ainda que seja por um só pecado.

P. Que castigo merece quem peca venialmente?

R. Quem peca venialmente merece apenas temporais, que há de sofrer nesta vida ou na outra.

P. Mas então, por que se deve fazer caso do pecado venial?

R. Deve-se fazer muito caso do pecado venial porque é sempre uma ofensa feita a Deus e conduz ao pecado mortal.

P. Quem comete o pecado mortal deverá julgar-se irremediavelmente condenado ao inferno?

R. Não, quem comete o pecado mortal tem ainda o remédio que Deus, em sua infinita misericórdia, nos deparou, que é o Sacramento da Penitência, como adiante se verá.

Lição XVI
Dos conselhos evangélicos

P. Que são conselhos evangélicos?

R. Conselhos evangélicos são alguns meios não obrigatórios que nos deixou Jesus Cristo no Evangelho para conseguirmos mais facilmente a perfeição cristã.

P. Quais são esses conselhos evangélicos?

R. Os conselhos evangélicos são três: *pobreza voluntária, castidade perpétua* e *obediência inteira* em tudo o que não for pecado.

P. Para que servem os conselhos evangélicos?

R. Os conselhos evangélicos facilitam a observância dos mandamentos, enquanto nos ajudam a desapegar o coração dos bens terrenos, dos prazeres e das honras, e nos afastam mais eficazmente do pecado e nos alcançam maior abundância de graças, para evitar o pecado e praticar o bem.

P. Quais são as instituições que professam observar os conselhos evangélicos?

R. São as ordens e congregações religiosas.

P. Que são ordens e congregações religiosas?

R. São institutos, cujos membros se obrigam a servir a Deus praticando os *conselhos evangélicos*, debaixo de uma regra aprovada pela autoridade da Igreja.

P. Qual é a utilidade das ordens e congregações religiosas?

R. As ordens e congregações religiosas são de uma utilidade indiscutível para os próprios membros, para a Igreja e para a sociedade.

P. Qual é a utilidade das ordens e congregações religiosas para a Igreja?

R. As ordens e congregações religiosas são propagadoras zelosas da religião, defensores de sua doutrina e de seus direitos: são ainda auxiliares valiosos dos bispos e do clero secular.

P. Qual é a utilidade das ordens e congregações religiosas para a sociedade?

R. São inumeráveis os benefícios que recebe a sociedade das ordens religiosas no exemplo que dão da prática das virtudes cristãs, nas obras de caridade, na educação e instrução da mocidade e na reforma dos costumes.

P. Quais são as ordens e congregações religiosas mais conhecidas entre nós?

R. São os Carmelitanos, Beneditinos, Premonstratenses, Agostinianos, Franciscanos, Capuchinhos, Dominicanos, Jesuítas, Trapistas, Lazaristas,

Redentoristas, Missionários do Espírito Santo, Palotinos, Missionários Filhos do Coração de Maria, Salesianos, Missionários do Divino Verbo, Salvatorianos, Colombinos, Maristas, da Salete, e muitas congregações de religiosas.

Parte IV

Dos sacramentos

Lição I
Dos sacramentos em geral

§1º – Natureza dos sacramentos

P. De que se trata na quarta parte da doutrina cristã?

R. Na quarta parte da doutrina cristã trata-se dos sacramentos.

P. Que se entende por sacramento?

R. Por sacramento se entende um sinal sensível e eficaz da graça, instituído por Nosso Senhor Jesus Cristo para santificar nossas almas.

P. Por que se chamam os sacramentos sinais sensíveis e eficazes da graça?

R. Chama-se os sacramentos sinais sensíveis e eficazes da graça porque todos os sacramentos significam por meio de coisas sensíveis a graça, que eles produzem na alma.

P. Explica isto com um exemplo.

R. Por exemplo, no batismo, derramar água na cabeça da criança e as palavras *eu te batizo*, isto é, te lavo, te purifico, são um sinal sensível da graça, que dá o batismo, daí a semelhança: assim como a água lava o corpo e o purifica, assim a graça conferida pelo batismo purifica a alma do pecado.

P. Quantos são os sacramentos?

R. Os sacramentos são sete:

1º. Batismo;

2º. Confirmação ou Crisma;

3º. Eucaristia ou Comunhão;

4º. Penitência;

5º. Extrema-unção;

6º. Ordem;

7º. Matrimônio.

P. Que se requer para que haja um sacramento?

R. Para que haja um sacramento três coisas se requerem, a saber: *matéria, forma* e o *ministro* que confere o sacramento com intenção de fazer o que faz a Igreja, quando se administram os sacramentos.

P. Que é a matéria do sacramento?

R. A matéria do sacramento é o elemento sensível, que significa a graça de um modo indeterminado.

P. Que é a forma do sacramento?

R. A forma do sacramento é o elemento, que determina a matéria a significar de um modo distinto a graça que o sacramento produz.

P. Que é o ministro do sacramento?

R. O ministro do sacramento é o que confere o sacramento, unindo a forma à matéria com intenção de fazer o que faz a Igreja. Esta intenção é necessária para o valor do sacramento.

§2º – Do efeito principal dos sacramentos: a graça

P. Que é a graça?

R. A graça é um dom interno, sobrenatural e gratuito, que Deus concede, pelos merecimentos de Nosso Senhor Jesus Cristo, para salvar-nos.

P. Como se divide a graça?

R. A graça se divide em: *graça santificante* ou *habitual* e *graça atual*.

P. Que é a graça santificante?

R. A graça santificante é um dom sobrenatural permanente e inerente à alma, chamado também, por isso, graça habitual, que nos constitui justos, filhos adotivos de Deus e herdeiros do céu.

P. Que é a graça atual?

R. A graça atual é um dom sobrenatural, que ilumina nossa mente, move e conforta nossa vontade, para que façamos o bem e nos abstenhamos do mal.

P. Podemos resistir à graça de Deus?

R. Sim, podemos resistir à graça de Deus, porque ela não nos tolhe a liberdade.

P. Podemos fazer alguma coisa que nos seja útil para a vida eterna somente pelas forças naturais?

R. Não, sem o auxílio da graça de Deus, pelas forças naturais, nada podemos fazer que nos seja útil para a vida eterna.

P. Por que meio Deus nos comunica a sua graça?

R. Deus comunica-nos a sua graça principalmente por meio dos sacramentos.

P. Que outra graça nos conferem os sacramentos, além da graça santificante?

R. Todos os sacramentos, além da graça santificante, conferem, ainda, uma graça atual apropriada ao fim de cada sacramento, chamada graça sacramental.

P. Que é a graça sacramental?

R. Graça sacramental é o direito que se adquire de receber, em tempo oportuno, as graças atuais necessárias para cumprir as obrigações que derivam do sacramento recebido.

Assim, quando fomos batizados, adquirimos o direito de ter as graças atuais para viver cristãmente e conservar a inocência batismal.

P. Os sacramentos conferem sempre a graça a quem os recebe?

R. Os sacramentos conferem sempre a graça, contanto que se recebam com as devidas disposições.

P. Quem deu aos sacramentos a virtude de conferir a graça?

R. Foi Jesus Cristo que, pela sua Paixão e morte, deu aos sacramentos a virtude de conferir a graça.

P. Quais são os sacramentos que conferem a vida da graça santificante àqueles que estão mortos pelo pecado?

R. Os sacramentos que conferem a vida da graça santificante àqueles que estão mortos pelo pecado são dois: o *Batismo* e a *Penitência*.

P. Como se chamam estes dois sacramentos: o Batismo e a Penitência?

R. Estes dois sacramentos, o Batismo e a Penitência, chamam-se *sacramentos dos mortos*, porque foram instituídos principalmente para conferir às almas mortas pelo pecado a vida da graça.

P. Quais são os sacramentos que devem ser recebidos em estado de graça e por conseguinte conferem um aumento de graça a quem os recebe?

R. Os sacramentos que devem ser recebidos em estado de graça e que, por conseguinte, conferem um aumento de graça a quem os recebe, são os outros cinco, a saber: Crisma, Eucaristia, Extrema-unção, Ordem e Matrimônio.

P. Como se chamam estes cinco sacramentos?

R. Estes cinco sacramentos, a saber: Crisma, Eucaristia, Extrema-unção, Ordem e Matrimônio chamam-se *sacramentos dos vivos*, porque os que os recebem devem encontrar-se livres de pecado, isto é, já vivos pela graça santificante.

P. Que pecado comete quem recebe um dos sacramentos dos vivos, conhecendo que não está em graça de Deus?

R. Quem recebe um dos sacramentos dos vivos, conhecendo que não está em graça de Deus, comete um grave sacrilégio.

P. Quais são os sacramentos mais necessários para a salvação?

R. Os sacramentos mais necessários para a salvação são dois: o Batismo e a Penitência. O Batismo é necessário a todos, e a Penitência é necessária aos que cometeram pecado mortal, depois do Batismo.

P. Qual é o maior de todos os sacramentos?

R. O maior de todos os sacramentos é a Eucaristia, porque não só contém a graça, mas também o autor da graça e dos sacramentos, que é Jesus Cristo.

§3° – Dos sacramentos que imprimem caráter

P. Quais são os sacramentos que se recebem uma só vez?

R. Os sacramentos que se recebem uma só vez são três: o Batismo, a Crisma e a Ordem.

P. Por que se recebem uma só vez estes sacramentos: Batismo, Crisma e Ordem?

R. Estes três sacramentos: Batismo, Crisma e Ordem recebem-se uma só vez porque imprimem *caráter*.

P. Que é o "caráter" que os sacramentos Batismo, Crisma e Ordem imprimem na alma?

R. O *caráter* que os sacramentos Batismo, Crisma e Ordem imprimem na alma é um sinal espiritual que nunca mais se apaga.

P. Para que serve o caráter que estes três sacramentos imprimem na alma?

R. O caráter que estes três sacramentos imprimem na alma serve para nos marcar, no Batismo, como membros de Jesus Cristo; na Crisma, como seus soldados e, na Ordem, como seus ministros.

Lição II
Dos sacramentos, em particular do Batismo

§1° – Natureza e efeitos do Batismo

P. Que é o Batismo?

R. O Batismo é o sacramento que nos regenera pela graça em Jesus Cristo, nos faz cristãos, filhos de Deus e da Igreja.

P. Quais são os efeitos do Batismo?

R. Os efeitos do Batismo são os seguintes: o batismo confere a graça santificante que apaga o pecado original e também o atual, se o houver; perdoa toda a pena devida a esses pecados; imprime-nos na alma o caráter de cristãos; faz-nos filhos de Deus, membros da Igreja e herdeiros do céu; nos torna capazes de receber os outros sacramentos, porque o Batismo é a porta dos sacramentos.

P. Qual é a matéria do Batismo?

R. A matéria do Batismo é a água natural que se derrama na cabeça da pessoa que se batiza.

P. Qual é a forma do Batismo?

R. A forma do Batismo são as palavras: *eu te batizo em nome do Pai e do Filho e do Espírito Santo.*

§2º – Ministro do Batismo

P. A quem compete administrar o Batismo?

R. Compete por direito administrar o Batismo aos bispos e aos párocos, mas, em caso de necessidade, qualquer pessoa, homem ou mulher, pode administrar este sacramento, até mesmo um herege ou um infiel, contanto que observe o rito do Batismo e tenha intenção de fazer o que faz a Igreja.

P. Se houvesse de batizar uma pessoa em perigo de vida, e muitas pessoas se achassem presentes, a quem competiria administrar o Batismo?

R. Se houvesse necessidade de batizar uma pessoa em perigo de vida, e muitas pessoas se achassem presentes, competiria administrar o Batismo ao sacerdote, se estivesse presente. Na falta do sacerdote, a um eclesiástico de ordem inferior. Na falta deste, competiria a um homem de preferência a uma mulher, exceto se a perícia da mulher a decência, em dadas circunstâncias, exigisse o contrário.

P. Que intenção deve ter quem batiza?

R. Quem batiza deve ter a intenção de fazer o que faz a Igreja, na administração deste sacramento.

*§3º – Rito de Sacramento do Batismo
e disposições do adulto que o recebe*

P. Como se batiza?

R. Batiza-se derramando água na cabeça da pessoa que se vai batizar, pronunciando, ao mesmo tempo, as palavras: *eu te batizo em nome do Pai e do Filho e do Espírito Santo.*

P. Se não se puder derramar água na cabeça da pessoa que se vai batizar, deixa-se por isso de a batizar?

R. Não, se não se puder derramar água na cabeça da pessoa que se vai batizar, derrama-se em outra parte principal do corpo, como no peito, ombros, pescoço, contanto que não seja sobre os vestidos, e pronunciando as palavras: *eu te batizo em nome do Pai e do Filho e do Espírito Santo*. Neste caso, porém, se for possível, deve renovar-se o Batismo *sub conditione*.

P. Se uma pessoa derramasse a água e outra proferisse as palavras da forma, seria válido o Batismo?

R. Não, se uma pessoa derramasse a água e outra proferisse as palavras da forma, o Batismo não seria válido. É mister que a mesma pessoa que derrama a água profira as palavras.

P. Quando há dúvida se a pessoa está viva, deve-se administrar o Batismo?

R. Quando há dúvida se a pessoa está viva, deve-se administrar o Batismo sob condição, dizendo: *Se estás vivo, eu te batizo em nome do Pai e do Filho e do Espírito Santo*.

P. Quando se devem batizar as crianças?

R. As crianças devem batizar-se o mais depressa possível, aos oito dias depois de nascidas, o mais tarde.

P. Por que se deve ter tanta pressa em batizar as crianças?

R. Deve-se ter toda a pressa em batizar as crianças porque elas, pela sua tenra idade, estão expostas a muitos perigos e acidentes e se morrerem sem Batismo não se podem salvar.

P. Pecam gravemente os pais e as mães que, por negligência, deixam morrer seus filhinhos sem o Batismo ou os não mandam batizar logo?

R. Os pais e mães que, por negligência, deixam morrer seus filhinhos sem o Batismo, pecam gravemente, porque privam essas criancinhas da felicidade eterna. Pecam, ainda, gravemente, deixando-os por muito tempo sem o Batismo, porque os expõem a morrer sem este sacramento.

P. Se um adulto houvesse de receber o Batismo, que disposições devia ter?

R. O adulto que houvesse de batizar-se deveria ter *fé* e *contrição*, ao menos imperfeita, dos pecados mortais cometidos.

P. Se um adulto se batizasse em pecado mortal, sem a contrição ao menos imperfeita, que coisa receberia?

R. Se um adulto se batizasse em pecado mortal, sem a contrição ao menos imperfeita, receberia o caráter do Batismo, mas não a remissão dos pecados e nem a graça santificante. Esses efeitos ficariam suspensos até que fosse removido o impedimento *pela contrição perfeita dos pecados ou pelo Sacramento da Penitência.*

§4º – *Necessidade do Batismo: deveres dos que batizam*

P. Será necessário o Batismo para nos salvarmos?

R. Sim, o Batismo é absolutamente necessário para nos salvarmos, segundo a palavra expressa do Senhor: *Quem não renascer pela água e pelo Espírito Santo não poderá entrar no Reino dos Céus.*

P. Poder-se-á suprir de algum modo a falta do Batismo?

R. Quando for impossível receber o Batismo poderá supri-lo o *martírio*, que se chama *batismo de sangue*, ou um ato de perfeito amor de Deus ou de contrição, unido ao desejo, ao menos implícito, de receber o Batismo, o que se chama *batismo de desejo*.

P. A que se obriga quem se batiza?

R. Quem se batiza obriga-se a professar sempre a fé e a observar a lei de Jesus Cristo e da sua Igreja.

P. Que coisas renuncia quem se batiza?

R. Quem se batiza renuncia para sempre a satanás, às suas obras e às suas pompas.

P. Que se entende por obras e pompas de satanás?

R. Por obras e pompas de satanás entendem-se os pecados, as vaidades e as máximas do mundo contrárias às máximas do Evangelho.

P. Repete algumas máximas do mundo?

R. Diz o mundo que *é vergonhoso não vingar as injúrias*, que a *pobreza é desprezível*, que a *felicidade é para os ricos* e outras contrárias às máximas do Evangelho.

P. A que se obriga então o cristão com essas renúncias?

R. O cristão com essas renúncias obriga-se, de um modo particular, a detestar o pecado, a evitar as vaidades e a detestar as máximas do mundo, para praticar com fervor as do Evangelho.

§5° – Nome e padrinhos

P. Por que se impõe o nome de um santo à pessoa que se batiza?

R. Impõe-se o nome de um santo à pessoa que se batiza para colocá-la debaixo da proteção espiritual de um patrono celeste e dar-lhe um modelo para imitar na vida terrestre.

P. Que são os padrinhos e as madrinhas do BSatismo?

R. Os padrinhos e as madrinhas do Batismo são pessoas que, por disposição da Igreja, levam à pia batismal os meninos, respondendo por eles às perguntas do sacerdote e responsabilizando-se perante Deus pela instrução religiosa deles, especialmente se lhes faltassem os pais.

P. Somos obrigados a cumprir as promessas e renúncias que por nós fizeram os nossos padrinhos?

R. Sim, somos obrigados sem dúvida a cumprir as promessas e renúncias que por nós fizeram os nossos padrinhos, porque só com esta condição foi que Deus nos recebeu na sua graça.

P. Que pessoas se devem escolher para padrinhos e madrinha?

R. Para padrinhos e madrinhas devem-se escolher pessoas católicas, de bons costumes e obedientes às leis da Igreja.

P. Quais são as obrigações dos padrinhos e das madrinhas?

R. Os padrinhos e as madrinhas devem procurar que seus filhos espirituais sejam instruídos nas verdades da fé e vivam como bons cristãos.

P. Que impedimentos contraem os padrinhos do Batismo?

R. Os padrinhos de Batismo contraem parentesco espiritual com a pessoa batizada e com os pais desta. E deste parentesco nasce o impedimento matrimonial entre os mesmos.

P. Quais são as pessoas que não podem ser padrinhos?

R. Não podem ser padrinhos os infiéis, os hereges, os excomungados, os pecadores públicos.

Lição III
Da Crisma ou Confirmação

P. Que é o Sacramento da Crisma?

R. A Crisma é um sacramento que nos dá o Espírito Santo, imprime em nossa alma o caráter de soldado de Jesus Cristo e nos faz perfeitos cristãos.

P. De que modo o Sacramento da Crisma nos faz perfeitos cristãos?

R. O Sacramento da Crisma faz-nos perfeitos cristãos porque nos confirma na fé e aperfeiçoa as outras virtudes e os dons que recebemos no Batismo. Por isso é que se chama também *confirmação*.

P. Quais são os dons do Espírito Santo que recebemos na Crisma?

R. Os dons do Espírito Santo que recebemos na Crisma são sete:

1º. Sabedoria;

2º. Entendimento;

3º. Conselho;

4º. Fortaleza;

5º. Ciência;

6º. Piedade;

7º. Temor de Deus.

P. Qual é a matéria do Sacramento da Crisma?

R. A matéria do Sacramento da Crisma é, além da imposição das mãos, a unção em forma de cruz que o bispo faz com o santo crisma na fronte da pessoa que recebe o sacramento que, por isso, se chama também *crisma*, isto é, *unção*.

P. Que é o santo crisma?

R. O santo crisma é uma mistura de óleo de oliveira e de bálsamo oriental que o bispo consagra na Quinta-feira Santa.

P. Que significam o óleo e o bálsamo no Sacramento da Crisma?

R. O óleo tem a virtude de se espalhar na superfície dos corpos, de os fortificar e de se insinuar em seus poros. O óleo, portanto, no Sacramento da Crisma, significa a abundância da graça, que se difunde na alma do cristão, fortificando-o e confirmando-o na fé. O bálsamo, pela sua fragrância e virtude de preservar os corpos da corrupção, significa que o cristão, fortalecido por essa graça, se torna capaz de espargir o bom odor e fragrância das virtudes cristãs e de se preservar da corrupção dos vícios.

P. Qual é a forma do Sacramento da Crisma?

R. A forma do Sacramento da Crisma é esta: *eu te assinalo com o sinal da cruz e te confirmo com o crisma da salvação, em nome do Pai e do Filho e do Espírito Santo.*

P. Quem é o ministro do Sacramento da Crisma?

R. O ministro ordinário do Sacramento da Crisma é somente o bispo.

P. Com que rito o bispo administra a Crisma?

R. Para administrar o Sacramento da Crisma, o bispo estende primeiramente as mãos sobre os que se vão crismar, invocando sobre eles o Espírito Santo. Em seguida, com o santo crisma, faz uma unção em forma de cruz na testa de cada um, dizendo as palavras da forma: *eu te assinalo com o sinal da cruz e te confirmo com o crisma da salvação, em nome do Pai e do Filho e do Espírito Santo.* Depois, bate na face do crismado, dizendo: *a paz seja contigo.* Por último, dá a bênção a todos os crismados.

P. Por que se faz a unção na testa?

R. Faz-se a unção na testa, parte mais elevada e nobre do corpo humano, para significar que o crismado nunca se há de envergonhar do nome de cristão, nem de professar a doutrina cristã, nem há de temer nunca os inimigos da fé.

P. Por que se bate na face do crismado?

R. Bate-se na face do crismado para lhe significar que deve estar preparado para sofrer qualquer afronta e trabalho pela fé cristã.

P. São todos obrigados a procurar receber o Sacramento da Crisma?

R. Sim, todos são obrigados a procurar receber o Sacramento da Crisma.

P. Que disposições se exigem para receber dignamente o Sacramento da Crisma?

R. Para receber dignamente o Sacramento da Crisma é preciso achar-se em estado de graça, conhecer os mistérios principais de nossa fé, apresentar-se ao bispo com respeito e devoção.

P. Importa muito receber o Sacramento da Crisma com devoção?

R. Sim, importa muito receber o Sacramento da Crisma com devoção porque quanto maiores forem a devoção e as boas disposições da alma, maior abundância de graças se receberá.

P. *Que pecado cometeria quem recebesse a Crisma uma segunda vez?*

R. Quem recebesse a Crisma uma segunda vez cometeria um sacrilégio, porque a Crisma é um dos sacramentos que imprimem caráter na alma e, por isso, só se recebe uma vez.

P. *Que se deve fazer para conservar a graça do Sacramento da Crisma?*

R. Para conservar a graça do Sacramento da Crisma é mister orar com frequência e viver segundo a lei cristã, sem respeitos humanos.

P. *Por que se exige também na Crisma um padrinho ou madrinha?*

R. Na Crisma exige-se também um padrinho ou madrinha, a fim de que o padrinho ou a madrinha, com a palavra e com o exemplo, dirija o afilhado ou a afilhada pelo caminho da salvação e o ajude nas lutas espirituais.

P. *Que condições se exigem no padrinho?*

R. O padrinho deve ser de idade conveniente, crismado, católico, do mesmo sexo do afilhado, de bons costumes, e instruído nas coisas mais necessárias da religião.

P. *O padrinho de Crisma contrai algum parentesco com o afilhado e com os pais deste?*

R. Sim, o padrinho de Crisma contrai o mesmo parentesco espiritual que o padrinho de Batismo.

Lição IV
Da Eucaristia ou Comunhão

*§1º – Da presença real de Jesus Cristo
neste sacramento*

P. Que é o Sacramento da Eucaristia?

R. A Eucaristia é um sacramento que, pela admirável conversão de toda a substância do pão do corpo de Jesus Cristo e de toda a substância do vinho no seu precioso sangue, contém verdadeira, real e substancialmente o corpo, o sangue, a alma e a divindade do mesmo Jesus Cristo Nosso Senhor, debaixo das espécies de pão e de vinho, para nosso alimento espiritual.

P. Está na Eucaristia o mesmo Jesus Cristo que nasceu de Maria Virgem e que está no céu?

R. Sim, na Eucaristia está o mesmo Jesus Cristo que nasceu de Maria Virgem e que está no céu.

P. Qual é a matéria do Sacramento da Eucaristia?

R. A matéria do Sacramento da Eucaristia é a mesma de que se serviu Jesus Cristo, isto é, pão de trigo e vinho de uva.

P. Qual é a forma do Sacramento da Eucaristia?

R. A forma do Sacramento da Eucaristia consiste nas palavras usadas por Jesus Cristo: *este é o meu corpo, este é o cálice do meu sangue.*

P. Que é a hóstia antes da consagração?

R. A hóstia antes da consagração é pão.

P. Que é a hóstia depois da consagração?

R. A hóstia depois da consagração é o verdadeiro corpo do Nosso Senhor Jesus Cristo.

P. Que está no cálice antes da consagração?

R. No cálice antes da consagração está vinho.

P. Que está no cálice depois da consagração?

R. No cálice depois da consagração está o verdadeiro sangue do Nosso Senhor Jesus Cristo.

P. Quando se faz essa mudança?

R. Essa mudança se faz no momento em que o sacerdote pronuncia as palavras da consagração.

P. Quem deu tanto poder a estas palavras?

R. Foi Jesus Cristo que deu tanto poder a estas palavras, porque Ele é Deus onipotente, e foi quem primeiro as pronunciou na última ceia.

P. Mas então depois da consagração, na hóstia e no cálice nada fica do pão e do vinho?

R. Depois da consagração, na hóstia e no cálice ficam somente as espécies do pão e do vinho.

P. Que são as espécies do pão e do vinho?

R. As espécies do pão e do vinho são a figura, a cor, o cheiro e o sabor do pão e do vinho.

P. Como podem permanecer as espécies do pão e do vinho sem a substância própria?

R. As espécies do pão e do vinho permanecem pelo poder de Deus onipotente.

P. Debaixo das espécies do pão há só o corpo de Jesus Cristo, e debaixo das espécies do vinho há só o seu sangue?

R. Tanto debaixo das espécies do pão como debaixo das espécies do vinho está Jesus Cristo todo inteiro, corpo, sangue, alma e divindade.

P. Poderás dizer-me por que tanto na hóstia como no cálice está Jesus Cristo todo inteiro?

R. Jesus Cristo está todo inteiro na hóstia e no cálice porque na Eucaristia está vivo e imortal como no céu. Por isso, onde está o seu corpo está também o seu sangue, alma e divindade, e onde está o seu sangue, aí está também o seu corpo, alma e divindade, sendo tudo isso inseparável depois de sua Ressurreição.

P. Quando Jesus Cristo está na hóstia, deixa de estar no céu?

R. Não. Quando Jesus Cristo está na hóstia, não deixa de estar no céu, mas acha-se, ao mesmo tempo, no céu e no Santíssimo Sacramento.

P. Jesus Cristo está em todas as hóstias consagradas no mundo?

R. Sim. Jesus Cristo está em todas as hóstias consagradas no mundo.

P. Como se pode dar isto?

R. Isto dá-se pela onipotência de Deus.

P. Quando se parte a hóstia, parte-se também o corpo de Jesus Cristo?

R. Não. Quando se parte a hóstia, não se parte o corpo de Jesus Cristo, mas partem-se somente as espécies sacramentais.

P. Em que parte da hóstia está o corpo de Jesus Cristo?

R. O corpo de Jesus Cristo está todo inteiro em toda a hóstia e todo em qualquer parte da hóstia.

P. Jesus Cristo está em uma hóstia grande tanto como em uma hóstia pequena?

R. Sim, Jesus Cristo está em uma hóstia grande como em uma hóstia pequena.

P. Por que motivo se conserva a Eucaristia ou o Santíssimo Sacramento nas igrejas?

R. O Santíssimo Sacramento conserva-se nas igrejas para ser visitado e adorado pelos fiéis e levado aos enfermos em caso de necessidade.

P. Devemos adorar a Santíssima Eucaristia?

R. Sim, devemos adorar a Santíssima Eucaristia porque contém, realmente, o mesmo Jesus Cristo.

P. Por que crês que no Sacramento da Eucaristia está realmente Jesus Cristo?

R. Creio que no Sacramento da Eucaristia está realmente Jesus Cristo porque Ele mesmo o disse e assim o ensina a Santa Madre Igreja.

§2° – Da instituição e dos efeitos da Eucaristia

P. Em que tempo Jesus Cristo instituiu o Sacramento da Eucaristia?

R. Jesus Cristo instituiu o Sacramento da Eucaristia na última ceia que celebrou com seus discípulos, isto é, à noite antes de sua Paixão.

P. Por que instituiu Jesus Cristo a Santíssima Eucaristia?

R. Jesus Cristo instituiu a Santíssima Eucaristia por muitas razões:

1°. Para ser o sacrifício da Nova Lei;

2°. Para alimento espiritual de nossas almas;

3°. Para perpétua comemoração de sua Paixão e morte e penhor preciosíssimo e de amor para com os homens, e de vida eterna.

P. Por que instituiu Jesus Cristo esse sacramento debaixo das espécies de pão e de vinho?

R. Jesus Cristo instituiu esse sacramento debaixo das espécies de pão e de vinho para dar-nos a eucaristia em forma de comida e de bebida e para melhor fazer-nos lembrar que é esse o nosso alimento espiritual.

P. Que coisa é comungar?

R. Comungar é receber Nosso Senhor Jesus Cristo no Sacramento da Eucaristia.

P. Que efeitos produz em nós a comunhão?

R. Os principais efeitos que a comunhão produz em nós são estes:

1º. Conservar e aumentar a vida da alma, que é a graça, como o alimento material conserva e aumenta a vida do corpo;

2º. Apagar os pecados veniais e preservar dos mortais;

3º. Unir-nos a Jesus Cristo e fazer-nos viver de sua vida.

P. A comunhão não produz em nós outros efeitos?

R. Sim, a comunhão produz em nós mais três efeitos, a saber:

1º. Enfraquecer nossas paixões e, particularmente, amortecer em nós a chama da concupiscência;

2º. Estimular-nos a proceder de conformidade com os desejos de Nosso Senhor Jesus Cristo;

3º. Dar-nos um penhor de glória futura e da Ressurreição gloriosa de nosso corpo.

§3º – Disposições para bem comungar

P. A comunhão produz sempre esses maravilhosos efeitos?

R. A comunhão produz sempre esses maravilhosos efeitos quando é recebida com as devidas disposições.

P. Quantas são as disposições necessárias para o bem comungar?

R. Para bem comungar, três coisas são necessárias:

1º. O estado de graça;

2º. Estar em jejum natural, da meia-noite até o momento da comunhão;

3º. Saber o que se vai receber e apresentar-se à comunhão com fé e devoção.

P. Que quer dizer o estado de graça?

R. O estado de graça quer dizer: ter a consciência pura e livre de todo o pecado mortal.

P. Quem se acha em pecado mortal, que deve fazer antes de comungar?

R. Quem se acha em pecado mortal, antes de comungar, deve fazer uma boa confissão.

P. Mas então não basta um ato de contrição perfeita?

R. Não, não basta um ato de contrição perfeita, mas é necessária a confissão.

P. Que pecado comete quem comunga em pecado mortal?

R. Quem comunga em pecado mortal, se tem consciência de seu estado, comete horrível sacrilégio.

P. Quem comunga em pecado mortal recebe a Jesus Cristo?

R. Sim, que comunga em pecado mortal recebe a Jesus Cristo, mas para a própria condenação.

P. Que jejum se exige para comungar?

R. Para comungar exige-se o jejum natural, que exclui qualquer coisa que tenha natureza de comida ou bebida.

P. É permitido, alguma vez, comungar sem estar em jejum?

R. Sim, é permitido aos enfermos de moléstia grave comungar em forma de *viático*, se não podem esperar em jejum sem grave incômodo[3].

P. Que quer dizer apresentar-se à comunhão com fé e devoção?

R. Quer dizer que devemos crer que Jesus Cristo está realmente presente na Santíssima Eucaristia e que nos devemos apresentar para recebê-lo com recolhimento e modéstia, preparar-nos antes, e dar, depois da comunhão, a ação de graças.

P. Em que consiste a preparação antes da comunhão?

R. A preparação antes da comunhão consiste em demorar-nos algum tempo a considerar quem vamos receber e quem somos nós; a fazer atos de fé, adoração, humildade, contrição, esperança, caridade e desejo de receber Jesus Cristo.

P. Em que consiste a ação de graças depois da comunhão?

R. A ação de graças depois da comunhão consiste em demorar-nos recolhidos dentro de nós, honrando ao Senhor com atos de fé, adoração,

---

3 É também permitido comungar, ainda que antes tenham tomado alguma coisa líquida, aos enfermos de prolongada doença, se depois de um mês não têm esperança de breve restabelecimento. Os doentes de casas piedosas que têm Santíssimo Sacramento, ou privilégio de celebração da santa missa em oratório particular, podem comungar uma ou duas vezes na semana; os outros fiéis poderão fazê-lo uma ou duas vezes no mês.

agradecimento, caridade, oferecimento, esperança e petição das graças que mais necessárias são para nós e para os outros.

Note-se que todos esses atos devem ser feitos de coração e não somente com a boca.

P. Quanto tempo deve durar a ação de graças?

R. É tão grande o benefício da comunhão que a ação de graças se deveria prolongar muitas horas; faça-se ao menos por um quarto de hora depois da comunhão.

P. Como devemos passar o dia da comunhão?

R. Devemos passar o dia da comunhão, quanto é possível, com recolhimento, lembrando-nos muitas vezes do benefício recebido e renovando os atos de agradecimento.

§4º – Do modo de comungar

P. De que modo nos devemos apresentar à mesa da comunhão?

R. Devemos estar de joelhos e ter a cabeça mediocremente levantada, os olhos modestos e voltados para a partícula, a boca suficientemente aberta e a língua um poco estendida sobre o lábio inferior.

P. Como se há de conservar a toalha na comunhão?

R. É preciso sustentá-la de modo que receba a sagrada partícula, se por acaso cair das mãos do sacerdote.

P. Quando se deve engolir a sagrada partícula?

R. Deve-se procurar engolir a sagrada partícula o mais depressa possível e abster-nos por algum tempo de cuspir.

P. Que se há de fazer se a partícula se pegar ao céu da boca?

R. Se a partícula se pegar ao céu da boca, despegue-se reverentemente com a língua, nunca com o dedo.

§5º – Do preceito da comunhão

P. Há obrigação de comungar?

R. Sim, há obrigação de comungar em perigo de morte, e ao menos uma vez cada ano na própria paróquia, pela Páscoa da Ressurreição.

P. Em que idade começa a obrigar o preceito da comunhão pascal?

R. O preceito da comunhão pascal começa a obrigar desse a idade em que o menino é capaz de discernir o que se contém nesse sacramento e em que é capaz de o receber com as devidas disposições.

P. Pecam os que tendo idade deixam de comungar?

R. Pecam, sem dúvida, se por própria culpa não se quiserem instruir ou não quiserem comungar. Se, porém, a falta é dos pais ou de quem faz as suas vezes, estes darão contas a Deus de tão grave omissão.

P. É coisa boa e útil comungar frequentemente?

R. Comungar frequentemente é coisa ótima, contanto que se faça com as devidas disposições.

P. Com que frequência se pode comungar?

R. Cada um poderá comungar com a frequência que lhe for aconselhada por um pio e douto confessor.

Lição V
Do santo sacrifício da missa

*§1º – Da essência, instituição e fins
do sacrifício da missa*

P. Deve-se considerar a Eucaristia somente como sacramento?

R. Não, a Eucaristia não é somente um sacramento, é também o sacrifício da Nova Lei, que Jesus Cristo deixou à sua Igreja para se oferecer a Deus por intermédio dos sacerdotes.

P. Como se chama o sacrifício da Nova Lei?

R. O sacrifício da Nova Lei chama-se sacrifício da missa.

P. Que se faz na missa?

R. Na missa oferece-se em sacrifício somente a Deus o corpo e o sangue de Jesus Cristo, debaixo das espécies de pão e vinho, em comemoração do sacrifício da cruz.

P. Quem instituiu o sacrifício da missa?

R. O santo sacrifício da missa foi instituído pelo próprio Jesus Cristo, quando instituiu o Sacramento da Eucaristia na véspera de sua Paixão.

P. Disseste que a santa missa se oferece em sacrifício somente a Deus; por que, então, se celebram tantas missas em honra da Santíssima Virgem e dos santos?

R. Quando se celebra a missa em honra de Maria Santíssima e dos santos não se lhes oferece o sacrifício, mas sim a Deus, para agradecer-lhe as graças que lhes fez e para obter, por intercessão dele, as graças de que necessitamos.

P. Para que fim se oferece a Deus o sacrifício da missa?

R. O sacrifício da missa oferece-se para quatro fins:

1º. Para honrar a Deus;

2º. Para lhe dar graças pelos benefícios recebidos;

3º. Para o aplacar e para satisfazer pelos nossos pecados;

4º. Para obter todas as graças que nos são necessárias.

P. Por quem oferece-se a santa missa?

R. A santa missa oferece-se por todos os homens, especialmente pelos fiéis e pelas almas que se acham no purgatório.

P. De que serve o sacrifício da missa às almas do purgatório?

R. A santa missa serve para as aliviar em seus sofrimentos e para as livrar mais depressa do purgatório.

P. Que diferença há entre o sacrifício da missa e o da cruz?

R. Quanto à substância, nenhuma diferença há; é o mesmo sacrifício, porque o mesmo Jesus Cristo, que se ofereceu na cruz, é o que se oferece pelo ministério dos sacerdotes sobre os nossos altares, ainda que isto se opere de modo diverso.

P. Explica a diferença do modo por que Jesus se ofereceu na cruz e agora se oferece no altar?

R. Jesus Cristo ofereceu-se na cruz derramando o seu sangue e merecendo por nós, ao passo que no altar sacrifica-se sem derramamento de sangue e nos aplica os frutos de sua paixão e morte.

P. Quem é, pois, que oferece a Deus o sacrifício da santa missa?

R. Jesus Cristo é o primeiro e principal oferente do sacrifício da santa missa, e o sacerdote é o ministro que, em nome de Jesus Cristo, oferece a Deus o mesmo sacrifício.

§2º – Do modo de ouvir missa

P. Quais são as coisas necessárias para ouvir missa bem e com fruto?

R. Para ouvir missa bem e com fruto é necessário assistir a ela com respeito, atenção e devoção.

P. Como se observa esse respeito?

R. Esse respeito observa-se guardando decência no vestir, no porte e no olhar. Não conversando, nem divagando com os olhos, mas tendo-os dirigidos para o altar do sacrifício e conservando-se de joelhos, se for possível, exceto aos dois evangelhos, que convém ouvir de pé.

P. Qual é o melhor modo de estar com atenção e devoção?

R. Para estar com atenção e devoção convém:

1º. Unir, desde o princípio da missa, a própria atenção à intenção do sacerdote, oferecendo a Deus o santo sacrifício para os fins para que foi instituído;

2º. Acompanhar o sacerdote em cada oração e cerimônia do sacrifício;

3º. Meditar a Paixão e morte de Jesus Cristo e detestar de coração os pecados que foram causa dela;

4º. Fazer a comunhão espiritual, ao tempo em que o sacerdote comunga.

P. Em que consiste a comunhão espiritual?

R. A comunhão espiritual consiste em um grande desejo de unir-nos a Jesus Cristo, dizendo, por exemplo: *Senhor meu Jesus Cristo, eu desejo ardentemente que Vós venhais habitar em minha alma, a fim de que eu não me separe nunca mais de Vós, mas fique sempre comigo a vossa divina graça.* Ou fazendo os mesmos atos que se fazem antes da comunhão sacramental.

P. Quem não soubesse fazer essas coisas poderia no tempo da missa rezar o terço do Rosário ou outras orações?

R. Sim, no tempo da missa podem os fiéis rezar o terço ou outras orações, porque qualquer oração ajuda a assistir com atenção e devoção àquele adorável sacrifício.

P. É coisa louvável rezar também pelos outros, assistindo à missa?

R. Não só é coisa louvável, mas até o tempo da missa é o mais próprio para pedir a Deus pelos vivos e pelos mortos.

P. Que convém fazer depois da missa?

R. Depois da missa é muito útil dar graças a Deus por nos ter permitido assistir a esse grande sacrifício e pedir-lhe perdão das culpas, que nela tivermos cometido.

Lição VI
Da Penitência ou Confissão

§1º – Das partes da Penitência em geral

P. Que é o Sacramento da Penitência?

R. A *Penitência*, chamada também *Confissão*, é um sacramento instituído por Jesus Cristo para perdoar os pecados cometidos depois do Batismo.

P. Por que se dá a este sacramento o nome de Penitência?

R. A este sacramento dá-se o nome de Penitência porque para obter o perdão dos pecados é mister detestá-los com arrependimento, e porque quem cometeu um pecado deve submeter-se à pena ou *penitência* que o confessor lhe impuser.

P. Por que este sacramento se chama também Confissão?

R. Este sacramento chama-se também Confissão, porque, para obter o perdão dos pecados, não basta detestá-los, mas é necessário acusá-los ao confessor, isto é, fazer a confissão deles.

P. Quando instituiu Jesus Cristo o Sacramento da Penitência?

R. Jesus Cristo instituiu o Sacramento da Penitência no dia de sua Ressurreição, quando, entrando no Cenáculo, em toda a solenidade deu aos apóstolos o poder de perdoar os pecados.

P. Como deu Jesus Cristo aos apóstolos o poder de perdoar os pecados?

R. Jesus Cristo deu aos apóstolos o poder de perdoar os pecados, dizendo-lhes: *recebei o Espírito Santo: os pecados daqueles a quem os perdoardes, serão perdoados; e os pecados daqueles a quem os retiverdes serão retidos.*

P. Qual é a matéria do Sacramento da Penitência?

R. A matéria do Sacramento da Penitência divide-se em *matéria remota* e *matéria próxima*.

P. Qual é a matéria remota do Sacramento da Penitência?

R. A matéria remota do Sacramento da Penitência são os pecados cometidos depois do Batismo.

P. Qual é a matéria próxima do Sacramento da Penitência?

R. A matéria próxima do Sacramento da Penitência são os atos do mesmo penitente, isto é, a *contrição*, a *confissão* e a *satisfação*.

P. Qual a forma do Sacramento da Penitência?

R. A forma do Sacramento da Penitência é: *eu te absolvo dos teus pecados*.

P. Quem é o ministro do Sacramento da Penitência?

R. O ministro do Sacramento da Penitência é o sacerdote aprovado pelo bispo para ouvir confissões.

P. Por que dizes que o sacerdote deve ser aprovado pelo bispo para ouvir confissões?

R. O sacerdote deve ser aprovado pelo bispo para ouvir confissões porque para administrar validamente este sacramento não basta o *poder da ordem*, mas é também necessário o *poder de jurisdição*, isto é, o poder para *julgar*, que lhe há de dar o bispo.

P. Quantas são as partes do Sacramento da Penitência?

R. As partes do Sacramento da Penitência são quatro, a saber: contrição, confissão, satisfação e absolvição.

P. Que é a contrição?

R. A contrição é uma verdadeira dor e sincera detestação dos pecados cometidos, unida ao firme propósito de nunca mais pecar.

P. Por que se dá o nome de contrição à dor dos pecados?

R. Dá-se o nome de contrição à dor dos pecados para significar que o coração duro do pecador, de certo modo, se parte pela dor de ter ofendido a Deus.

P. Que é a confissão?

R. A confissão é a acusação clara dos pecados, feita ao confessor aprovado, para receber a absolvição.

P. Que é a satisfação, como parte deste sacramento?

R. A satisfação é a pena, chamada comumente *penitência*, que o confessor impõe ao penitente, em reparação da injúria feita a Deus pelo pecado.

P. Que é a absolvição?

R. A absolvição é a sentença com que o confessor, em nome de Jesus Cristo, perdoa os pecados do penitente bem-disposto, pronunciando a fórmula: *eu te absolvo dos teus pecados, em nome do Pai e do Filho e do Espírito Santo.*

§2º – Da necessidade da Penitência e das disposições para bem recebê-la

P. O Sacramento da Penitência é necessário a todos para se salvarem?

R. O Sacramento da Penitência é necessário a todos os que depois do Batismo cometeram algum pecado mortal.

P. O Sacramento da Penitência tem a virtude de perdoar todos os pecados mortais por maiores que sejam?

R. Sim, o Sacramento da Penitência tem a virtude de perdoar todos os pecados, por maiores e mais numerosos que sejam, contanto que se receba com as devidas disposições.

P. Que se exige para fazer uma boa confissão?

R. Para fazer uma boa confissão, exigem-se cinco coisas:

1º. Exame;

2º. Contrição;

3º. Propósito;

4º. Confissão;

5º. Satisfação.

P. Mas antes de tudo, que é necessário para fazer uma boa confissão?

R. Para fazer uma boa confissão, é necessário, primeiro que tudo, pedir de coração a Deus luzes para conhecermos todos os nossos pecados, e graças para os detestar.

P. E como devemos orar para obter essas graças?

R. Se tivermos um verdadeiro desejo de conseguir, por meio da confissão, o perdão dos pecados, devemos orar muito e com insistência, ainda antes do dia da confissão.

P. Por que tanto se recomenda que oremos?

R. Porque sem a graça de Deus não podemos converter-nos e a graça da conversão é tão grande que, atendendo à nossa indignidade, não a podemos obter sem muita oração.

§3º – Do exame

P. Que é o exame que se deve fazer antes da confissão?

R. O *exame* é uma diligente indagação dos pecados cometidos.

P. Como devemos fazer o exame de consciência?

R. Para fazer o exame de consciência devemos pôr-nos na presença de Deus, examinar-nos com diligência sobre os pecados cometidos por pensamentos, palavras, obras e omissões contra os mandamentos da lei de Deus e da Igreja e contra as obrigações do próprio estado.

P. Sobre que coisa mais nos devemos examinar?

R. Devemos examinar-nos sobre os maus hábitos e as ocasiões de pecado.

P. Devemos também indagar o número dos pecados?

R. Sim, se os pecados são mortais, devemos também indagar o número deles.

P. Que deve fazer quem não se lembra do número exato dos pecados?

R. Quem não se lembra do número exato dos pecados deve procurar o número que mais nos aproxima do verdadeiro, considerando quanto tempo continuou naquele pecado.

P. Além do número dos pecados mortais, devemos também notar alguma circunstância?

R. Sim, além do número dos pecados mortais, devemos examinar as circunstâncias que mudam a espécie do pecado ou mudam o pecado de venial em mortal; e também seria conveniente acusar as que aumentam muito a malícia do pecado.

P. Dá-me algum exemplo das circunstâncias que mudam a espécie do pecado?

R. Quem, por exemplo, furtou coisa sagrada da igreja, ou quem bateu em um sacerdote deve notar esta circunstância do lugar sagrado ou da pessoa sagrada, para declará-la na confissão, porque, em tal caso, o pecado de furto ou de espancamento vem a ser além disso um sacrilégio.

P. Dá-me algum exemplo das circunstâncias que aumentam muito a malícia do pecado?

R. Quem furta uma grande soma de dinheiro, por exemplo, um conto de réis, comete um pecado mais grave do que quem roubasse somente 30 mil réis.

P. Devemos também nos examinar sobre os pecados veniais?

R. Não, não há obrigação de nos examinarmos sobre os pecados veniais, mas é coisa convenientíssima examinar-nos sobre os que mais agravam a consciência e que foram cometidos com vontade deliberada.

P. É fácil distinguir se um pecado é mortal ou venial?

R. Em muitos casos é dificílimo e, por isso, o bom cristão deve procurar examinar-se bem e manifestar inteiramente sua consciência ao confessor.

P. Que diligência se deve empregar no exame de consciência?

R. No exame de consciência se deve empregar a diligência que se empregaria em um negócio de grande importância.

P. Quanto tempo se deve empregar no exame de consciência?

R. Deve-se empregar no exame de consciência mais ou menos tempo, segundo a necessidade, isto é, segundo o número e a qualidade dos pecados que pesam na consciência e segundo o tempo decorrido depois da última confissão. Assim, para uns bastarão 5 a 15 minutos, enquanto para outros serão necessários 20 ou 30 minutos, ou mais.

P. Como se pode facilitar esse exame?

R. O exame de consciência torna-se fácil, pensando nós nos lugares em que estivemos, nas pessoas que frequentamos e nas coisas em que nos ocupados, e muito mais fácil se torna para os que têm o louvável costume de examinar todos os dias a consciência, coisa tão recomendada a quem quer viver cristãmente.

§4º – Da contrição

P. Em que consiste a contrição?

R. A contrição consiste no pesar e sincera detestação da ofensa feita a Deus, por ser Ele quem é.

P. Que qualidades deve ter a contrição?

R. A contrição deve ser:

1º. Interior;

2º. Sobrenatural;

3º. Suma;

4º. Universal.

P. Que quer dizer que a contrição deve ser interior?

R. Que a contrição deve ser interior quer dizer que deve nascer do coração e não dos lábios.

P. Que quer dizer que a contrição deve ser sobrenatural?

R. Que a contrição deve ser sobrenatural quer dizer que deve ser excitada em nós pela graça de Deus, fundada em motivos de fé.

P. Explica com um exemplo a contrição sobrenatural?

R. Quem se arrepende por ter perdido o céu, por ter merecido o inferno ou por ter ofendido a Deus, tem *contrição sobrenatural*, porque esta é excitada pela graça de Deus e porque se arrepende por motivo de fé. Quem, porém, se arrepende pela desonra diante do mundo e pelo temor da justiça humana, tem *contrição natural*, porque se arrepende por motivos humanos.

P. Que quer dizer que a contrição deve ser suma?

R. Que a contrição deve ser suma quer dizer que devemos ter maior pesar de ter ofendido a Deus do que se nos tivera acontecido qualquer outra desgraça, por maior que seja.

P. E por que a contrição deve ser tão grande?

R. Porque o pecado é o maior mal do mundo.

P. É necessário por isso chorar, como às vezes se chora pelas desgraças temporais?

R. Seria para desejar, mas não é necessário e basta que no coração sintamos mais ter ofendido a Deus do que sentiríamos qualquer outra desgraça.

P. Que quer dizer que a contrição deve ser universal?

R. Que a contrição deve ser universal quer dizer que se deve estender a todos os pecados cometidos, ao menos aos mortais.

P. Quais são os motivos para excitar em nós a contrição dos pecados?

R. Os motivos para excitar em nós a contrição dos pecados são que, pecando, merecemos os castigos de Deus e muito mais porque, pecando, ofendemos a Deus infinitamente bom e digno de ser amado sobre todas as coisas.

P. Que devemos, pois, fazer para ter essa contrição?

R. Devemos pedi-la de coração a Deus, e excitá-la em nós com a consideração do grande mal que fizemos pecando.

P. Que devemos, ainda, considerar para excitar em nós uma verdadeira contrição?

R. Para excitar em nós uma verdadeira contrição havemos de considerar principalmente:

1º. Os tormentos do inferno que merecemos com o pecado mortal e a felicidade do céu que perdemos;

2º. As penas atrocíssimas que Jesus Cristo sofreu na sua Paixão e morte pelos nossos pecados;

3º. A grave ofensa a Deus que nos fez tantos benefícios, que é nosso pai, que tanto nos ama e que é infinitamente digno de ser amado sobre todas as coisas e de ser fielmente servido.

P. Quantas espécies há de contrição?

R. Há duas espécies de contrição: a perfeita, que propriamente se chama contrição, e a imperfeita, que se chama atrição.

P. Quando a contrição é perfeita?

R. A contrição é perfeita quando nos arrependemos e detestamos o pecado por ser ofensa de Deus infinitamente bom e amável sobre todas as coisas.

P. Quando é imperfeita a contrição?

R. A contrição é imperfeita quando se detesta o pecado por sua fealdade sobrenatural ou por se ter perdido o céu e merecido as penas do inferno.

P. Sem a contrição poderá haver perdão de nossos pecados?

R. Não, em caso nenhum Deus nos perdoará os nossos pecados atuais sem a contrição deles.

P. Que vantagem tem a contrição perfeita sobre a imperfeita?

R. A contrição perfeita, unida ao desejo de confessar-se, põe logo o pecador em graça de Deus, ao passo que a imperfeita só lhe alcança o perdão unida ao sacramento.

P. Pode haver verdadeira contrição sem a intenção de se confessar?

R. Quem não se quer confessar é impossível ter contrição.

P. Quem confessa somente pecados veniais deve ter dor de todos?

R. Não, para a validade da confissão basta ter dor de um ou outro, mas para alcançar o perdão de todos é necessário arrepender-se de todos.

P. Quem tivesse somente pecados veniais e não se arrependesse de nenhum deles, faria boa confissão?

R. Não, faria uma confissão nula.

P. Que se deveria fazer para tornar mais segura a confissão dos pecados veniais?

R. Para tornar mais segura a confissão dos pecados veniais é bom confessar-se, ao menos em geral, de todos os pecados da vida passada, acrescentando, em especial, contra tal ou tal mandamento.

§5º – Do propósito

P. Basta a dor de ter ofendido a Deus sem o propósito de não mais o ofender?

R. Não, não basta a dor de ter ofendido a Deus, mas é necessário, ainda, o propósito de não mais o ofender, antes, sem propósito não pode haver verdadeira dor.

P. Em que consiste o propósito?

R. O propósito consiste em uma vontade firme e decidida de nunca mais pecar e de empregar todos os meios necessário para evitar o pecado.

P. Que condições deve ter o propósito para ser bom?

R. O propósito para ser bom deve ser universal, firme e eficaz.

P. Que quer dizer propósito universal?

R. Propósito universal quer dizer que o propósito deve abranger todos os pecados mortais com a vontade de os evitar.

P. Que se entende pelas palavras firme e eficaz?

R. Pelas palavras *firme* e *eficaz*, entende-se que é mister ter vontade decidida a não cometer, por motivo nenhum, o pecado mortal e a empregar todos os meios de evitar os pecados, fugindo das ocasiões perigosas, combatendo os maus hábitos etc.

P. Que se entende por maus hábitos?

R. Por *maus hábitos* entende-se a facilidade e forte inclinação que se experimenta de cair em certos pecados a que estamos acostumados.

P. Que se deve fazer para corrigir os maus hábitos?

R. Para corrigir os maus hábitos é mister estar vigilante, fazer muita oração, frequentar a confissão e pôr em prática os meios e os remédios que nos propõe o diretor de nossa consciência;

P. Que se entende por ocasiões perigosas de pecar?

R. Por *ocasiões perigosas* de pecar entende-se qualquer circunstância que de sua natureza, ou por fragilidade nossa, nos induz e excita a cometer o pecado.

P. Somos obrigados a evitar as ocasiões perigosas?

R. Sim, quando estas sejam tais que ordinariamente induzam a pecar.

P. E se não se puderem evitar tais ocasiões?

R. Deve-se dizer ao confessor e estar pelos seus conselhos.

P. Que considerações servem para formar o propósito?

R. Para formar o propósito servem as mesmas considerações que para a contrição, isto é, as considerações dos motivos que temos, para temer a justiça de Deus e para amar sua infinita bondade.

P. Quem rezasse o ato de contrição somente com a boca ficaria bem absolvido?

R. Quem rezasse o ato de contrição somente com a boca, sem ter no coração verdadeiro arrependimento e sincera vontade de emendar-se, não ficaria absolvido e deveria repetir a confissão.

P. É boa coisa fazer frequentemente o ato de contrição?

R. Sim, é coisa utilíssima fazer frequentemente o ato de contrição, principalmente antes de nos deitarmos e, sobretudo, quando percebemos ou desconfiamos ter caído em pecado mortal, porque, então, serve para conseguirmos logo a graça de Deus e melhor nos dispormos para fazê-lo em caso de necessidade.

P. Podemos saber com certeza que fizemos um ato de contrição bom e eficaz?

R. Não, não podemos ter essa certeza, por isso é mais seguro repeti-lo com frequência, para melhor garantia do nosso arrependimento.

§6º – Da confissão

P. Depois de teres te preparado para a confissão com o exame, com a dor e com o propósito, que mais te resta fazer?

R. Resta-me ir e ter com o confessor para me confessar.

P. Que pecados somos obrigados a confessar?

R. Somos obrigados a confessar os pecados mortais, mas é bom confessar também os pecados veniais.

P. Que qualidade deve ter a confissão para ser boa?

R. A confissão, para ser boa, deve ter três qualidades principais. Deve ser: humilde, sincera e inteira.

P. Que quer dizer: a confissão deve ser humilde?

R. Humilde quer dizer que o penitente deve colocar-se diante de seu confessor como um réu diante de seu juiz, com muita humildade e submissão.

P. Que quer dizer: a confissão deve ser sincera?

R. Sincera quer dizer que é mister declarar os pecados, como eles são, sem os aumentar, diminuir ou desculpar.

P. Que deveria considerar quem fosse tentado de faltar à sinceridade na confissão?

R. Quem fosse tentado de faltar à sinceridade na confissão deveria considerar que os que se confessam sem sinceridade não recebem o perdão dos pecados e cometem um sacrilégio; que os pecados confessados ficarão sempre ocultos debaixo do inviolável sigilo sacramental.

P. Que quer dizer: a confissão deve ser inteira?

R. Inteira quer dizer que se devem acusar todos os pecados mortais cometidos, o número, a espécie e as circunstâncias que mudam a espécie do pecado.

P. Quem, por esquecimento, deixou de acusar um pecado mortal ou uma circunstância que deveria declarar, fez boa confissão?

R. Sim, quem, por esquecimento, deixou de acusar um pecado mortal ou uma circunstância que deveria declarar, fez boa confissão, contanto que tenha empregado a diligência necessária para lembrar-se de tudo.

P. Quem, depois da confissão, se lembrar do pecado que, por esquecimento, não acusou, é obrigado a acusá-lo em outra confissão?

R. Sim, quem depois da confissão se lembrar do pecado que, por esquecimento, não acusou, é obrigado a acusá-lo na primeira confissão que fizer.

P. Quem, por vergonha, oculta pecado grave na confissão, ficará perdoado?

R. Quem, por vergonha, oculta pecado grave na confissão, não tem perdão nenhum e comete novo pecado de sacrilégio.

P. Que deve fazer quem caiu na desgraça de esconder algum pecado grave na confissão?

R. Deve repetir a confissão e todas as outras que tiver feito desde que escondeu tal pecado, acusar este mesmo pecado, que ocultou e declarar que o ocultou.

P. Não é coisa dura ter de confessar a outrem os próprios pecados, principalmente quando são muito vergonhosos?

R. Ainda que pareça duro, é preciso fazê-lo, porque, de outro modo, não se pode conseguir o perdão dos pecados cometidos e porque a dificuldade de confessar-se fica compensada por muitas vantagens e grandes consolações.

P. Por que não podemos obter o perdão dos pecados sem os confessar?

R. O cristão não pode conseguir o perdão dos pecados mortais senão pela confissão ou pela contrição perfeita dos pecados cometidos, acompanhada do desejo eficaz de se confessar, se estiver impedido de o fazer, porque Jesus Cristo estabeleceu a confissão para nos perdoar os pecados mortais.

P. Quais são as principais vantagens da confissão?

R. A confissão, além de conseguir-nos o perdão dos pecados, serve-nos de penitência, preserva-nos de novas quedas e procura-nos o auxílio do confessor.

§7° – Do modo de confessar-se

P. Que deves fazer, apresentando-te ao confessor?

R. Apresentando-me ao confessor, ajoelhar-me-ei a seus pés e direi: *Padre, dai-me a vossa bênção que pequei.*

P. Enquanto o confessor te dá a sua bênção, que farás?

R. Enquanto o confessor me dá sua bênção, farei o sinal da cruz.

P. Feito o sinal da cruz, que dirás?

R. Feito o sinal da cruz, direi: *eu, pecador, me confesso a Deus, todo-poderoso, à bem-aventurada sempre Virgem Maria, ao bem-aventurado São Miguel Arcanjo, ao bem-aventurado São João Batista, aos santos apóstolos São Pedro e São Paulo, a todos os santos e a vós, padre, que pequei muitas vezes por pensamentos, palavras e obras, por minha culpa, minha culpa, minha máxima culpa. Portanto, peço e rogo à bem-aventurada sempre Virgem Maria, ao bem-aventurado São Miguel Arcanjo, ao bem-aventurado São João Batista, aos santos apóstolos São Pedro e São Paulo, a todos os santos e a vós, padre, que rogueis por mim a Deus Nosso Senhor.*

Depois direi: *confessei-me em tal tempo, recebi a absolvição, fiz a penitência que me foi imposta e recebi ou não a sagrada comunhão*. Em seguida, farei a acusação dos meus pecados.

P. Terminada a acusação dos pecados, que farás?

R. Terminada a acusação dos pecados, direi: *acuso-me, ainda, de todos os pecados da vida passada, especialmente contra tal ou tal virtude*: por exemplo, *contra a castidade, contra o quarto mandamento* etc.

P. Depois desta acusação, que se deve fazer?

R. Deve-se dizer: *de todos estes pecados e dos que não me lembro, peço perdão a Deus de todo o coração e a vós, padre, a penitência e absolvição.*

P. Terminada assim a acusação dos pecados, que farás?

R. Terminada a acusação dos pecados, ouvirei com atenção e respeito o que me disser o confessor, aceitarei a penitência com sincera vontade de cumpri-la e enquanto ele me der a absolvição, renovarei de coração o ato de contrição.

P. Recebida a absolvição, que farás?

R. Recebida a absolvição, retirar-me-ei modestamente e darei graças a Deus, cumprirei quanto antes a penitência e porei em prática os avisos e conselhos do confessor.

§8º – Do sacrilégio e da confissão geral

P. Todos os que se confessam recebem o perdão de seus pecados?

R. Não, nem todos os que se confessam recebem o perdão de seus pecados, mas somente os que se confessam bem.

P. É um grande mal fazer uma confissão ruim?

R. Sim, fazer uma confissão má é um grave sacrilégio.

P. Que é mister fazer para reparar esse sacrilégio?

R. Para reparar esse sacrilégio é mister fazer de novo aquela confissão e todas as outras feitas depois dela e acusar o sacrilégio cometido.

P. Que é confissão geral?

R. Confissão geral é a acusação dos pecados de toda a vida ou de um período de tempo considerável.

P. É boa coisa fazer a confissão geral?

R. É boa coisa fazer a confissão geral e algumas vezes é necessário para remediar os defeitos das confissões precedentes.

§9º – Da absolvição

P. A absolvição sacramental pode ser alguma vez adiada ou negada?

R. Sim, a absolvição pode e deve ser ou adiada, ou negada, quando o penitente não está bem disposto, se o confessor não conseguir dispô-lo.

P. Quais são os penitentes que se hão de considerar mal dispostos para receber a absolvição?

R. São, principalmente, os seguintes:

1º. Os que ignoram os mistérios principais da fé ou se descuidam de aprender os outros pontos da doutrina cristã, que são obrigados a conhecer segundo o seu estado;

2º. Os que são gravemente negligentes em fazer o exame de consciência ou não têm verdadeira dor e firme propósito;

3º. Os que de coração recusam perdoar aos inimigos;

4º. Os que, podendo, se negam a restituir as coisas alheias ou a reputação lesada;

5º. Os que recusam deixar as ocasiões próximas do pecado;

6º. Os que recusam empregar os meios necessários para se emendarem de seus maus hábitos.

P. Que há de fazer o penitente ao qual se adiou ou se negou a absolvição?

R. Deve humilhar-se, reconhecer o seu mísero estado, aproveitar os bons conselhos que o confessor lhe deu, executá-los e tornar-se o mais depressa possível capaz de merecer a absolvição.

P. Que acontece aos que procuram confessores demasiadamente indulgentes?

R. Acontece-lhes o que disse o Senhor: *se um cego guia outro cego caem ambos no precipício*, isto é, tanto o confessor como o penitente correm risco de se condenarem.

P. *Por que correm risco de se condenarem?*

R. Porque o penitente se habitua a não pôr em prática os remédios necessários para se abster do pecado e o confessor falta à sua obrigação de procurar a sincera emenda do penitente.

P. *Que deve, então, fazer o bom cristão para escolher seu confessor?*

R. O bom cristão deve encomendar-se muito a Deus para escolher um confessor piedoso e prudente, deve entregar-se em suas mãos e submeter-se a ele como a juiz e médico.

§10º – Da satisfação ou penitência

P. *O penitente é obrigado a aceitar a penitência imposta pelo confessor?*

R. Sim, o penitente é obrigado a aceitar a penitência que lhe é imposta pelo confessor.

P. *E se não a puder cumprir?*

R. Se não puder cumprir a penitência imposta, o penitente deverá dizê-lo com humildade ao confessor e pedir-lhe outra.

P. *Quando se deve cumprir a penitência?*

R. Se o confessor marcar o tempo em que deve ser feita a penitência, o penitente deverá fazê-la dentro daquele tempo; se, porém, não marcar tempo, o penitente deverá fazê-la quanto antes, e procurará fazê-la em estado de graça.

P. *Como se há de fazer a penitência?*

R. A penitência se há de fazer inteira e com devoção.

P. Por que se impõe essa penitência?

R. Porque, ordinariamente, depois da absolvição sacramental, que perdoa a culpa e a pena eterna, fica a pena temporal que se há de sofrer neste mundo ou no purgatório.

P. Por que não perdoa a confissão toda a pena temporal, como faz o Batismo?

R. Porque os pecados cometidos depois do Batismo são muito mais graves, tendo sido cometidos com mais perfeito conhecimento e maior ingratidão aos benefícios de Deus e, ainda, porque Deus assim o quis, a fim de que a obrigação de satisfazer por eles nos sirva de freio para não recairmos.

P. Mas então podemos satisfazer a Deus pelos pecados?

R. Por nós mesmos não podemos satisfazer a Deus pelos pecados, mas podemo-lo unindo-nos a Jesus Cristo que, pelos merecimentos de sua Paixão e morte, comunica o necessário valor às nossas obras.

P. A penitência que dá o confessor é sempre suficiente para satisfazer a pena que resta, devida aos pecados?

R. Ordinariamente não basta e, por isso, é mister procurar supri-la com outras penitências voluntárias.

P. Quais são as obras de penitência?

R. As obras de penitência podem redizer-se a três: a oração, o jejum e a esmola.

P. Que se entende por oração?

R. Por oração entende-se aqui qualquer espécie de exercícios de piedade.

P. Que se entende por jejum?

R. Por jejum entendem-se quaisquer mortificações.

P. Que se entende por esmola?

R. Por esmola entende-se qualquer obra de misericórdia espiritual ou corporal.

P. Qual é a penitência mais meritória, a que nos dá o confessor ou a que fazemos por nossa escolha?

R. A penitência mais meritória é a que nos dá o confessor porque, fazendo parte do sacramento, recebe maior virtude dos merecimentos da paixão de Jesus Cristo.

P. Os que morrem depois de ter recebido a absolvição, mas antes de satisfazer plenamente à justiça de Deus, vão logo para o céu?

R. Não, vão para o purgatório para satisfazer aí a justiça de Deus e purificar-se inteiramente.

P. As almas que estão no purgatório podem ser por nós aliviadas em suas penas?

R. Sim, as almas que estão no purgatório podem ser aliviadas com orações, esmolas e todas as outras boas obras, com as indulgências e, sobretudo, com o santo sacrifício da missa.

P. Que outra coisa deve fazer o penitente, depois da confissão?

R. O penitente, se causou injustamente dano ao próximo nos bens da fortuna ou na honra, ou se lhe deu escândalo, deve quanto antes restituir-lhe os bens, reparar-lhe a honra e remediar o escândalo.

P. Como se pode remediar o escândalo causado ao próximo?

R. Pode-se remediar o escândalo edificando com bom exemplo aqueles a quem escandalizamos.

P. De que modo se há de satisfazer ao próximo, quando ofendido por nós?

R. Ao próximo, quando ofendido por nós, há de se lhe satisfazer ou pedindo-lhe perdão ou reparando de algum outro modo o agravo que lhe fizemos.

P. Quais são os frutos de uma boa e santa confissão?

R. Os principais frutos de uma boa e santa confissão são os seguintes:

1º. Apaga os pecados cometidos e dá-nos a graça de Deus;

2º. Restitui-nos a paz e a tranquilidade da boa consciência;

3º. Reabre-nos as portas do céu e muda a pena eterna do inferno em pena temporal;

4º. Preserva-nos das recaídas e torna-nos capazes do tesouro das indulgências.

§11º – Das indulgências

P. Que são as indulgências?

R. As indulgências são a remissão da pena temporal, devida aos nossos pecados já perdoamos, concedida pela Igreja fora do Sacramento da Penitência.

P. De quem recebeu a Igreja a faculdade de dar indulgências?

R. A Igreja recebeu de Jesus Cristo a faculdade de dar indulgências.

P. Como nos remite a Igreja essa pena por meio das indulgências?

R. A Igreja remite-nos essa pena, aplicando-nos o fruto das satisfações superabundantes de Jesus Cristo, das de Maria Santíssima e dos santos.

P. As indulgências dispensam-nos, porventura, da obrigação de fazer penitências?

R. Não, as indulgências não nos dispensam da obrigação de fazer penitência, mas auxiliam a nossa boa vontade e suprem a fraqueza das nossas forças, e a Igreja, ao dar as indulgências, quer que procuremos satisfazer de nossa parte a divina justiça.

P. Que é necessário fazer para ganhar as indulgências?

R. Para ganhar as indulgências é mister executar exatamente as obras prescritas e fazer ao menos a última em estado de graça.

P. As indulgências aproveitam somente a quem as lucra?

R. Não, muitas indulgências podem aproveitar às almas do purgatório, se quem as lucrar as aplicar em sufrágio delas.

P. Quantas espécies há de indulgências?

R. Há duas espécies: indulgências plenárias e indulgências parciais.

P. Que são indulgências plenárias?

R. Indulgências plenárias são as que remitem toda a pena temporal devida pelos pecados.

P. Que são indulgências parciais?

R. Indulgências parciais são as que remitem somente uma parte da pena temporal, correspondente a uma igual penitência, segundo os antigos cânones da Igreja, como: 40 dias, 100 dias, um ano.

Lição VII
Da Extrema-unção

P. Que é o Sacramento da Extrema-unção?

R. A Extrema-unção é um sacramento instituído para alívio espiritual e atsé corporal dos enfermos.

P. Que efeitos produz o Sacramento da Extrema-unção?

R. O Sacramento da Extrema-unção produz os efeitos seguintes:

1º. Aumenta a graça santificante;

2º. Apaga os pecados veniais e também os mortais, quando o enfermo disposto a se confessar já o não pudesse fazer;

3º. Purifica a alma de certo torpor e frieza para o bem, que ficam, ainda depois de perdoados os pecados;

4º. Restitui a saúde do corpo, se assim convier à salvação da alma ou à glória de Deus;

5º. Dá o conforto e paciência ao enfermo para suportar os incômodos e trabalhos da doença e força para resistir às tentações e morrer santamente.

P. Em que tempo se deve receber a Extrema-unção?

R. A Extrema-unção deve receber-se quando a enfermidade for grave; depois que o enfermo tiver recebido, se puder, os sacramentos da Penitência e da Eucaristia, e, quanto possível, quando estiver ainda no uso de suas faculdades.

P. Mas então não se deve esperar que o enfermo chegue aos extremos para administrar-lhe a Extrema-unção?

R. Não, basta que a enfermidade seja grave e perigosa, porque, recebendo o enfermo o sacramento com conhecimento, poderá dispor-se melhor para tirar dele maior fruto e, ainda, porque, sendo este sacramento útil para a saúde do corpo, não se deve diferir até que fique o enfermo sem esperança de restabelecimento.

P. Com que disposição se deve receber a Extrema-unção?

R. A principal disposição é recebê-la em graça de Deus e, por isso, deve o enfermo confessar-se antes, sempre que puder, ter verdadeira dor dos pecados e excitar-se a fazer atos de viva fé, de firme esperança, de perfeita caridade e de resignação à vontade de Deus.

P. Poderá este sacramento dispensar a confissão?

R. Este sacramento não dispensa a confissão, quando possa fazer-se. Para quem a recusa, de nada vale a extrema-unção.

Lição VIII
Da Ordem

P. Que é o Sacramento da Ordem?

R. A Ordem é um sacramento que confere o poder e a graça de exercer as funções e ministérios eclesiásticos, que se referem ao culto de Deus e à salvação das almas, e imprime na alma o caráter de ministro de Deus.

P. Por que se chama Ordem?

R. Chama-se Ordem porque consiste em vários graus, subordinados entre si, dos quais resulta a hierarquia sagrada.

P. Quais são esses graus?

R. O maior grau é o episcopado, que contém a plenitude do sacerdócio. Após, o presbitério ou o simples sacerdócio. Em seguida, o diaconato, o subdiaconato e as ordens que se chamam menores.

P. Quando instituiu Jesus Cristo a ordem sacerdotal?

R. Jesus Cristo instituiu a ordem sacerdotal na última ceia, quando conferiu aos apóstolos e aos seus sucessores o poder de consagrar a Santíssima Eucaristia.

P. No poder de consagrar a Santíssima Eucaristia estava incluído o de reter ou perdoar os pecados?

R. Não, o poder de reter ou perdoar os pecados conferiu-o Jesus Cristo aos apóstolos no dia de sua Ressurreição, constituindo-os por este modo os primeiros sacerdotes da Nova Lei, em toda a plenitude do seu poder.

P. Quem é o ministro do Sacramento da Ordem?

R. O ministro do Sacramento da Ordem é somente o bispo.

P. É então muito grande a dignidade do sacerdócio cristão?

R. Sim, a dignidade do sacerdócio cristão é grandíssima, pelo duplo poder que lhe conferiu Jesus Cristo: poder sobre o seu corpo real e sobre o seu corpo místico, que é a Igreja; e pela divina missão confiada aos sacerdotes de guiar todos os homens para a vida eterna.

P. O sacerdócio católico é necessário na Igreja?

R. Sim, o sacerdócio católico é necessário na Igreja, sem ele os fiéis ficariam privados do sacrifício da missa e da maior parte dos sacramentos; não teriam quem os instruísse na fé; ficariam como ovelhas sem pastor, à mercê dos lobos; deixaria de existir a Igreja como a instituiu Jesus Cristo.

P. E então o sacerdócio católico não deixará nunca de existir?

R. O sacerdócio católico, não obstante a guerra que lhe move o inferno, durará até o fim dos séculos, de acordo com o prometido por Jesus Cristo: que as potestades do inferno não prevalecerão nunca contra a sua Igreja.

P. É pecado desprezar os sacerdotes?

R. Sim, é pecado gravíssimo, porque o desprezo e as injúrias que se dirigem contra os sacerdotes recaem sobre o mesmo Jesus Cristo, porque Ele disse aos seus apóstolos: *Quem vos desprezar, a mim despreza.*

P. Qual deve ser o fim de quem abraça o estado eclesiástico?

R. O fim de quem abraça o estado eclesiástico deve ser a glória de Deus, a salvação própria e a do próximo.

P. Pode alguém arbitrariamente entrar no estado eclesiástico?

R. Não, ninguém pode entrar arbitrariamente no estado eclesiástico, mas deve ser chamado de Deus.

P. Que havemos de fazer para conhecer se Deus nos chama para o estado eclesiástico?

R. Para conhecer se Deus nos chama para o estado eclesiástico, devemos:

1º. Suplicar a Deus fervorosamente que nos manifeste sua vontade;

2º. Aconselhar-nos com o próprio bispo ou com um sábio e prudente diretor espiritual;

3º. Examinar com diligência se temos a necessária aptidão para os estudos e para as obrigações desse estado.

P. Faria mal quem abraçasse o estado eclesiástico sem a vocação?

R. Sim, quem abraçasse o estado eclesiástico sem a vocação faria um grande mal e poria em perigo a própria salvação.

P. Mas então fazem mal os pais que induzem os filhos a abraçar o estado eclesiástico sem vocação?

R. Sim, os pais que induzem os filhos a abraçar o estado eclesiástico sem vocação fazem um grande mal e usurpam um direito que está reservado a Deus. Além disso, expõem a perigo sua salvação e a de seus filhos. Do mesmo modo fazem muito mal os que vedam o estado eclesiástico a seus filhos chamados por Deus.

P. Como se devem comportar os simples fiéis em relação aos que são chamados às ordens?

R. Os fiéis devem:

1º. Deixar aos seus filhos plena liberdade de obedecer a vocação de Deus;

2º. Pedir a Deus que se digne de conceder à sua Igreja bons pastores e zelosos ministros;

3º. Ter grande respeito a todos os que, por meio das ordens, se consagraram ao serviço de Deus.

P. Quer a Igreja que os fiéis peçam a Deus que lhe conceda bons pastores e zelosos ministros?

R. Sim, a Igreja quer que os fiéis peçam a Deus que lhe conceda bons pastores e zelosos ministros; foi também para este fim que ela instituiu o jejum e a abstinência das Têmporas, pois é regularmente nas Têmporas que a Igreja confere ordens.

Lição IX
Do Matrimônio

§1º – Natureza do Sacramento do Matrimônio

P. Que é o Matrimônio?

R. O Matrimônio é um sacramento instituído por Nosso Senhor Jesus Cristo, que estabelece uma santa e indissolúvel união entre o homem e a mulher, e lhes dá a graça de se amarem mutuamente e de educarem cristãmente seus filhos.

P. Por quem foi instituído o Matrimônio?

R. O Matrimônio foi instituído por Deus no paraíso terrestre, e no Novo Testamento foi elevado por Jesus Cristo à dignidade de sacramento.

P. O Sacramento do Matrimônio tem alguma especial significação?

R. Sim, o Sacramento do Matrimônio significa a união de Jesus Cristo com a Santa Igreja sua esposa e nossa mãe.

P. Por que se diz que o vínculo do matrimônio é indissolúvel?

R. Diz-se que o vínculo do matrimônio é indissolúvel, isto é, que não acaba senão pela morte de um dos cônjuges, porque assim o determinou Deus desde o princípio e assim o proclamou Jesus Cristo.

P. Poderá haver entre cristãos contrato matrimonial separado do sacramento?

R. Não, entre cristãos não se pode separar no matrimônio o contrato do sacramento, porque para eles o matrimônio não é outra coisa, senão o mesmo contrato natural elevado por Jesus Cristo à dignidade de sacramento.

P. Então entre cristãos não pode haver verdadeiro matrimônio que não seja sacramento?

R. Não, entre cristãos não pode haver verdadeiro matrimônio que não seja sacramento.

P. Que efeitos produz o Sacramento do Matrimônio?

R. O Sacramento do Matrimônio produz o aumento da graça santificante e dá a graça especial para se cumprirem fielmente todos os deveres matrimoniais.

§2º – Ministros do Matrimônio, rito, disposições

P. Quais são os ministros do Matrimônio?

R. Os ministros do Matrimônio são os mesmos esposos que o contraem.

P. Como é que os esposos administram este sacramento?

R. Este sacramento, conservando sempre a natureza do contrato, administram-no mutuamente os mesmos contraentes, quando declaram, na presença do próprio pároco ou de um sacerdote autorizado pelo pároco e de duas testemunhas, que se unem em matrimônio.

P. Para que serve então a bênção que o pároco dá aos esposos?

R. A bênção que o pároco dá as esposos não é necessária para constituir o sacramento, mas deve dá-la para sancionar em nome da Igreja a união dos esposos e para chamar sobre eles as bênçãos de Deus.

P. Que fins deve ter quem resolve casar-se?

R. Quem resolve casar-se deverá ter os seguintes fins:

1º. Fazer a vontade de Deus, que o chamou para um tal estado;

2º. Conseguir nesse estado a salvação de sua alma;

3º. Educar na lei de Deus os filhos que tiver.

P. De que modo se devem preparar os esposos para bem receber o Sacramento do Matrimônio?

R. Para bem receber o Sacramento do Matrimônio devem os esposos:

1º. Encomendar-se de coração a Deus para conhecerem a divina vontade e obterem as graças que são necessárias a esse estado;

2º. Consultar os próprios pais, antes de fazerem a promessa de casamento, como o exigem a obediência e o respeito que lhes é devido;

3º. Preparar-se com uma boa confissão, e até de toda a vida, se for necessário;

4º. Evitar, enquanto noivos, familiaridades perigosas.

P. Quais são as principais obrigações dos que se unem pelos laços do matrimônio cristão?

R. As principais obrigações dos que se unem pelos laços do matrimônio cristão são:

1º. Amarem-se mutuamente;

2º. Guardarem um ao outro *inviolável a fidelidade conjugal*;

3º. Sofrerem com paciência as faltas e gênio um do outro e viverem em paz e concórdia;

4º. Proverem as necessidades da família, darem aos filhos educação cristã e deixarem-lhes a liberdade de escolher o estado para que se sentirem chamados por Deus.

§3º – Condições e impedimentos

P. Que é necessário para contrair validamente o matrimônio cristão?

R. Para contrair validamente o matrimônio cristão é necessário estar livre de todo o impedimento matrimonial *dirimente*, e dar livremente o próprio consentimento ao contrato matrimonial, perante o pároco ou outro sacerdote por ele autorizado e duas testemunhas.

P. *Que é necessário para contrair licitamente o matrimônio cristão?*

R. Para contrair *licitamente* o matrimônio cristão é necessário estar livre dos impedimentos matrimoniais *impedientes*, ter conhecimento das coisas principais da religião e achar-se em estado de graça.

P. *Quem se casasse em estado de pecado mortal, casaria licitamente?*

R. Não, quem se casasse em estado de pecado mortal casaria válida mas *ilicitamente* e cometeria um grave sacrilégio.

P. *Que são impedimentos matrimoniais?*

R. Impedimentos matrimoniais são certas causas ou circunstâncias que tornam o matrimônio nulo ou ilícito.

P. *Como se chama o impedimento, quando torna nulo o matrimônio?*

R. Quando o impedimento torna nulo o matrimônio chama-se *impedimento dirimente*.

P. *Como se chama o impedimento, quando torna ilícito o matrimônio?*

R. Quando o impedimento faz ilícito o matrimônio chama-se *impedimento impediente*.

P. *Quantos e quais são os impedimentos* dirimentes?

R. Os impedimentos *dirimentes* ou os impedimentos que fazem nulo o matrimônio são 15, dos quais os mais comuns são: parentesco de consanguinidade, de afinidade espiritual, voto solene de castidade, ligame, clandestinidade, medo grave, crime, diversidade de culto entre batizados e não batizados, etc.

P. Quais são os impedimentos impedientes?

R. Os impedimentos *impedientes*, ou que fazem ilícito o matrimônio, são: o tempo proibido (para as solenidades das núpcias, esse tempo vai do primeiro domingo do Advento até o primeiro domingo da Epifania, e de Quarta-feira de Cinzas até o Domingo da Páscoa), o voto simples de castidade (o voto de não se casar, de entrar em uma ordem religiosa ou de receber ordens sacras), diversidade de religião entre batizados (um católico com uma acatólica, e vice-versa).

P. São os fiéis obrigados a revelar à autoridade eclesiástica os impedimentos matrimoniais que conhecem?

R. Sim, os fiéis são obrigados a revelar à autoridade eclesiástica os impedimentos matrimoniais que conhecem; para esse fim é que os párocos, à estação da missa, *nos domingos e dias de festa*, leem os proclamas e pregões dos casamentos que se hão de celebrar.

P. A quem pertence o poder de criar impedimentos matrimoniais, dispensar neles e julgar da validade do matrimônio cristão?

R. À Igreja somente pertence o poder de criar impedimentos matrimoniais, dispensar neles e julgar da validade do matrimônio entre cristãos.

P. Por que é somente a Igreja que tem o poder de criar impedimentos matrimoniais e de julgar da validade do matrimônio?

R. É somente a Igreja que tem o poder de criar impedimentos matrimoniais, de julgar da validade do matrimônio e dispensar nos impedimentos que ela criou porque no matrimônio cristão não se podendo dividir o contrato do sacramento, também o contrato está sujeito ao poder da Igreja: *a ela somente conferiu Jesus Cristo o direito de fazer leis e proferir decisões sobre coisas sagradas.*

P. Poderá a autoridade civil dissolver com o divórcio o vínculo do matrimônio cristão?

R. Nunca. O vínculo do matrimônio cristão não pode ser dissolvido pela autoridade civil, porque esta não se pode intrometer em matéria de sacramentos e separar o que Deus uniu.

P. O divórcio então nunca é lícito?

R.

1º. Se por divórcio se entende somente a separação dos corpos, dos bens e da vida entre cônjuges, então o divórcio em certos casos pode ser lícito e permitido pela Igreja;

2º. Se, porém, por divórcio se entende que os cônjuges divorciados podem passar a outras núpcias, o divórcio, neste sentido, nunca é lícito, é sempre imoral e anticristão.

P. Que é o matrimônio civil?

R. O matrimônio civil não é mais nada que uma formalidade prescrita pela lei civil com o fim de dar e garantir aos casados e à sua prole os efeitos civis do matrimônio.

P. Mas então os que tiverem celebrado seu casamento perante a Igreja deverão também celebrar o ato civil?

R. Sim, os que tiverem celebrado seu casamento perante a Igreja deverão também celebrar o ato civil para conseguirem para seu casamento e prole os efeitos civis.

P. Se os cônjuges não quisessem celebrar o ato civil, que inconveniente resultaria?

R. Se os cônjuges não quisessem celebrar o ato civil, resultariam daí graves inconvenientes. Porque perante a lei civil não seriam reconhecidos como casados, seus filhos seriam considerados como ilegítimos e, por isso, excluídos da herança paterna e os cônjuges não teriam direito de herdar um do outro.

P. Por que não se pode contentar o cristão tão somente com o contrato civil do matrimônio?

R. O cristão não se pode contentar somente com o contrato civil do matrimônio, porque esse contrato não é sacramento e, por isso, não é verdadeiro matrimônio.

P. Se os esposos, satisfeitas somente as formalidades civis, fossem conviver, em que condições se achariam?

R. Se os esposos, satisfeitas somente as formalidades civis, fossem conviver, permaneceriam em estado de contínuo pecado mortal, reputados pela Igreja e pelo povo cristão como pecadores públicos.

P. Fica então assente que se deve fazer também o ato civil?

R. Sim, deve-se fazer também o ato civil, porque ainda que este não seja sacramento, devem os cônjuges assegurar os efeitos civis da sociedade conjugal, por isso, em regra geral, a autoridade eclesiástica não permite o matrimônio religioso senão quando já estiverem a ponto de se concluírem as formalidades civis.

Parte V
Das virtudes principais e outras coisas que o cristão deve saber

Lição I
Das virtudes principais

Nota: *Começa esta lição pelas quatro últimas virtudes principais, porque das três primeiras – fé, esperança e caridade – já se tratou em outra parte deste catecismo. Juntam-se, contudo, aqui, uns aditamentos que servem para completar o que ficou dito sobre a virtude da fé.*

§1º – Dos mistérios

P. Podemos compreender todas as verdades da fé?

R. Não, não podemos compreender todas as verdades da fé, porque algumas dessas verdades são mistérios.

P. Que são os mistérios?

R. Os mistérios são verdades superiores à nossa razão, as quais devemos crer, ainda que nunca as possamos compreender.

P. Por que devemos crer nos mistérios?

R. Devemos crer nos mistérios porque foram revelados por Deus que, sendo verdade e bondade infinita, não se pode enganar, nem enganar.

P. Os mistérios serão contrários à razão?

R. Os mistérios são superiores, mas não contrários à razão, porque o mesmo Deus que nos deu a luz da razão, nos revelou os misteriosos, e ele não se pode contradizer.

P. Disseste que os mistérios são verdades reveladas por Deus; onde se encontram as verdades por Deus?

R. As verdades reveladas por Deus encontram-se na Sagrada Escritura e na Tradição.

§2° – Da Sagrada Escritura

P. Que é a Sagrada Escritura?

R. A Sagrada Escritura é a coleção dos livros escritos pelos profetas e hagiógrafos, pelos apóstolos e pelos evangelistas por inspiração do Espírito Santo e recebidos pela Igreja como inspirados.

P. Em quantas partes se divide a Sagrada Escritura?

R. A Sagrada Escritura divide-se em duas partes: Antigo e Novo testamentos.

P. Que contém o Antigo Testamento?

R. O Antigo Testamento contém os livros inspirados, escritos antes da vinda de Jesus Cristo.

P. Que contém o Novo Testamento?

R. O Novo Testamento contém os livros inspirados, escritos depois da vinda de Jesus Cristo.

P. Que nome se dá, comumente, à Sagrada Escritura?

R. Dá-se, comumente, à Sagrada Escritura o nome de Bíblia Sagrada.

P. Que significa a palavra Bíblia?

R. A palavra Bíblia significa a coleção dos livros santos, o livro por excelência, o livro dos livros, o livro inspirado por Deus.

P. Por que se chama a Sagrada Escritura o livro por excelência?

R. Chama-se a Sagrada Escritura o livro por excelência por causa da excelência da matéria de que trata e por causa de seu autor.

P. Não poderá haver erro na Sagrada Escritura?

R. Na Sagrada Escritura não pode haver erro, porque, sendo toda ela inspirada, o autor de todas as suas partes é o mesmo Deus. Isto não impede que nas cópias e traduções da mesma tenha podido escapar algum erro ou dos copistas ou dos tradutores. Mas nas edições revistas e aprovadas pela Igreja Católica não pode haver erro no que se refere à fé e à moral.

P. É necessário eu todos os cristãos leiam a Bíblia?

R. Não, não é necessário que todos os cristãos leiam a Bíblia, instruídos como costumam ser pela Igreja. Mas é uma leitura muito útil e a todos recomendada.

P. Pode-se ler qualquer tradução em vulgar da Bíblia?

R. Não. Podem-se ler somente as traduções, em vulgar, da Bíblia, que foram aprovadas pela Igreja como autênticas, acompanhadas de notas explicativas, também aprovadas pela mesma Igreja.

P. Só se podem ler as traduções da Bíblia que foram aprovadas pela Igreja?

R. Sim, só se podem ler as traduções da Bíblia que foram aprovadas pela Igreja porque só a Igreja é o guarda legítimo da Bíblia.

P. Por meio de quem podemos obter o verdadeiro sentido das Sagradas Escrituras?

R. O verdadeiro sentido das Sagradas Escrituras só o podemos obter por meio da Igreja, porque somente ela interpretando-as tem o dom da inerrância.

P. Que deveria fazer o cristão se lhe fosse oferecida a Bíblia por um protestante ou por algum emissário dos protestantes?

R. Se a um cristão fosse oferecida a Bíblia por um protestante ou por algum emissário dos protestantes, deveria repelir com horror semelhante oferta, porque é proibida pela Igreja, e se a tivesse aceitado por descuido, deveria logo lançá-la ao fogo ou entregá-la ao respectivo pároco.

P. Por que proíbe a Igreja as bíblias protestantes?

R. A Igreja proíbe as bíblias protestantes porque ou são alteradas ou contêm erros ou, finalmente, porque não têm sua aprovação nem as notas explicativas aprovadas por ela. Por isso, a Igreja proíbe também as traduções da Sagrada Escritura que por ela foram aprovadas, mas que foram reimpressas sem as notas explicativas devidamente aprovadas.

§3º – Da Tradição

P. Que é a Tradição?

R. A Tradição é a Palavra de Deus não escrita, mas comunicada de viva voz por Jesus Cristo e pelos apóstolos e transmitida inalterada, de século em século, até nós.

P. Onde se encontram os ensinamentos da Tradição?

R. Os ensinamentos da Tradição encontram-se, principalmente, nos decretos dos concílios, nos escritos dos Santos Padres, nos atos da Santa Sé, nas palavras e nos usos da Sagrada Liturgia.

P. Que valor se deve dar à Tradição?

R. À Tradição deve dar-se o valor que se dá à Palavra de Deus revelada, contida na Sagrada Escritura.

§4º – Das virtudes cardeais

P. Quais são as virtudes cardeais?

R. As virtudes cardeais são quatro: *prudência, justiça, fortaleza* e *temperança.*

P. Por que se chamam virtudes cardeais?

R. Chamam-se virtudes cardeais porque são como o princípio e fundamento das outras virtudes.

P. Que efeitos produzem em nós as virtudes cardeais?

R. A *prudência* torna-nos atentos e cautelosos, a fim de que nossas ações se dirijam a um fim reto e nossas obras sejam bem-feitas e agradáveis a Deus.

A *justiça* manda-nos dar a cada um o que lhe pertence.

A *fortaleza* dá-nos coragem e generosidade para afrontarmos os perigos e até a morte, se for necessário, pelo serviço de Deus.

A *temperança* ensina-nos a dominar os desejos desordenados e usar com moderação dos bens temporais.

Lição II
Dos dons do Espírito Santo

P. *Que coisa é dom do Espírito Santo?*

R. Dom do Espírito Santo é um princípio sobrenatural e interno de Deus, que nos torna fácil e suave a prática de todas as obras de perfeição cristã.

P. *Quantos são os dons do Espírito Santo?*

R. Os dons do Espírito Santo são sete:

1º. Sabedoria;

2º. Entendimento;

3º. Conselho;

4º. Fortaleza;

5º. Ciência;

6º. Piedade;

7º. Temor de Deus.

P. *Que efeitos produzem em nós os dons do Espírito Santo?*

R. Os efeitos que produzem em nós os dons do Espírito Santo são estes:

1º. O dom da sabedoria faz-nos conhecer claramente o nosso fim e os meios de o alcançarmos;

2º. O dom do entendimento faz-nos conhecer as verdades reveladas e nos persuade delas profundamente;

3º. O dom da ciência mostra-nos o nada das coisas criadas, nossas obrigações e o caminho mais seguro para chegarmos ao céu;

4º. O dom do conselho ensina-nos o melhor partido que devemos tomar para nossa santificação e o que mais contribui para a glória de Deus;

5º. O dom da fortaleza sustenta-nos nos perigos, nos temores e tentações, e faz-nos triunfar das dificuldades que se opõem à nossa salvação;

6º. O dom da piedade é uma disposição religiosa, que nos faz cumprir com prontidão e fervor nossas obrigações para com Deus;

7º. O dom do temor de Deus é o receio constante de desagradar a Deus, que nos faz fugir de todo o pecado, ainda nos veniais, para não desgostarmos a Nosso Senhor.

Lição III
Bem-aventuranças evangélicas

P. Que coisa são as bem-aventuranças evangélicas?

R. As bem-aventuranças evangélicas são atos sobrenaturais de determinadas virtudes pelos quais Jesus Cristo promete, ainda nesta vida, a bem-aventurança certa de obter o prêmio eterno[4].

P. Quantas são as bem-aventuranças evangélicas?

R. As bem-aventuranças evangélicas são oito:

1º. Bem-aventurados os pobres de espírito, porque dele é o reino do céu;

---

4 A reproduzir-se na próxima edição do Segundo catecismo.

2º. Bem-aventurados os mansos, porque eles possuirão a terra;

3º. Bem-aventurados os que choram, porque eles serão consolados;

4º. Bem-aventurados os que têm fome e sede de justiça, porque eles serão fartos;

5º. Bem-aventurados os que usam de misericórdia, porque eles alcançarão misericórdia;

6º. Bem-aventurados os limpos de coração, porque eles verão a Deus Nosso Senhor;

7º. Bem-aventurados os pacíficos, porque eles serão chamados filhos de Deus;

8º. Bem-aventurados os que padecem perseguição por amor da justiça, porque deles é o Reino de Deus.

P. Por que nos propôs Jesus Cristo estas bem-aventuranças?

R. Jesus Cristo nos propôs estas bem-aventuranças para nos fazer detestar as máximas do mundo e para nos convidar a amar e praticar as máximas do Evangelho.

P. Quais são os que o mundo chama bem-aventurados?

R. O mundo chama bem-aventurados os que possuem riquezas e honras, que vivem alegremente e que não têm ocasião de sofrer.

P. Quais são os pobres de espírito que Jesus Cristo chama bem-aventurados?

R. Os pobres de espírito, segundo o Evangelho, são os que têm o coração desapegado das riquezas, os que, se as possuem, fazem delas bom uso, não as procuram, se as não têm e, se forem delas privados ficam plenamente resignados.

P. Quais são os mansos que possuirão a terra?

R. Os mansos que possuirão a terra são os que tratam com brandura o próximo, sofrem com paciência seus defeitos e suportam sem queixas ou sentimentos de vingança as injúrias que dele recebem.

P. Quais são os que choram e, contudo, se chamam bem-aventurados?

R. Os que choram e, contudo, são bem-aventurados são os que se afligem pelos pecados cometidos, pelos graves males e escândalos que veem no mundo e pelo perigo em que se acham de perder o céu.

P. Quais são os que têm fome e sede de justiça?

R. São os que desejam adiantar-se sempre mais nos exercícios das boas obras e das virtudes e na posse da graça de Deus.

P. Quais são os que usam de misericórdia?

R. Misericordiosos são os que, amando em Deus, e por Deus, o próximo, se compadecem de suas misérias espirituais e corporais, e procuram aliviá-las quanto lhes é possível.

P. Quais são os limpos de coração?

R. São os que nenhum afeto têm ao pecado, procuram com diligência evitá-lo e, principalmente, evitam toda a espécie de impureza.

P. Quais são os pacíficos?

R. Os pacíficos são os que vivem em paz com o próximo e consigo mesmos e procuram dá-la aos que vivem em discórdia.

P. Quais são os que padecem perseguição por amor da justiça?

R. São os que suportam com paciência os motejos, os insultos e perseguições por amor da fé ou de qualquer outra virtude cristã.

P. Que significam as diversas recompensas que promete Jesus Cristo a quem pratica estas virtudes?

R. As diversas recompensas prometidas por Jesus Cristo significam sob diversos nomes e glória eterna do paraíso.

P. Chamam-se estas virtudes nossa bem-aventurança somente porque por elas merecemos e conseguimos a bem-aventurança eterna?

R. Não. Não é só por isso, mas também porque por elas conseguimos a felicidade da vida presente, quando é possível.

P. Então os que praticam essas virtudes recebem já nesta vida alguma recompensa?

R. Sim, recebem alguma recompensa, porque gozam de paz e consolação interior, o que é um princípio, bem que imperfeito, da bem-aventurança eterna.

P. E os que seguem as máximas do mundo, poderão dizer-se felizes?

R. Não, os que seguem as máximas do mundo não são felizes, porque não possuem a verdadeira paz nem a consolação interior e se acham em caminho de condenação eterna.

Lição IV
Das obras de misericórdia

P. Quais são as boas obras, das quais nos serão tomadas contas particulares no dia do juízo?

R. São as obras da misericórdia.

P. Quantas são as obras de misericórdia?

R. As obras de misericórdia são 14: sete corporais e sete espirituais.

As corporais são estas:

1º. Dar de comer a quem tem fome;

2º. Dar de beber a quem tem sede;

3º. Vestir os nus;

4º. Dar pousada aos peregrinos;

5º. Visitar os enfermos e encarcerados;

6º. Remir os cativos;

7º. Enterrar os mortos.

E as espirituais são estas:

1º. Dar bom conselho;

2º. Ensinar os ignorantes;

3º. Castigar os que erram;

4º. Consolar os aflitos;

5º. Perdoar as injúrias;

6º. Sofrer com paciência as fraquezas do próximo;

7º. Rogar a Deus pelos vivos e defuntos.

Dos vícios capitais

P. Quais são os vícios que se chamam capitais?

R. Os vícios que se chamam capitais são sete: soberba, avareza, luxúria, ira, gula, inveja e preguiça.

P. Por que se chamam capitais estes vícios?

R. Estes vícios chamam-se capitais porque são a origem e a fonte de todos os pecados.

P. Como se vencem esses vícios?

R. Esses vícios vencem-se com as virtudes que lhes são contrárias, isto é, a soberba vence-se com a humildade; a avareza com a liberalidade; a luxúria com a castidade; a ira com a paciência; a gula com a abstinência; a inveja com a caridade; a preguiça com a diligência.

Dos pecados contra o Espírito Santo

P. Quantos são os pecados contra o Espírito Santo?

R. Os pecados contra o Espírito Santo são seis:

1º. Desesperação da salvação;

2º. Presunção de se salvar sem merecimento;

3º. Contradizer a verdade conhecida por tal;

4º. Ter inveja das mercês que Deus faz a outrem;

5º. Obstinação no pecado;

6º. Impenitência final.

P. Por que se chamam esses pecados contra o Espírito Santo?

R. Estes pecados chamam-se contra o Espírito Santo porque se cometem só por malícia, o que diretamente repugna à bondade divina, que se atribui ao Espírito Santo.

Dos pecados que bradam ao céu

P. Quantos são os pecados que bradam ao céu e pedem a vingança de Deus?

R. Os pecados que bradam ao céu e pedem a vingança de Deus são quatro:

1º. Homicídio voluntário;

2º. Pecado sensual contra a natureza;

3º. Oprimir os pobres, órfãos e viúvas;

4º. Negar o salário aos que trabalham.

P. Por que se chamam pecados que bradam ao céu e pedem a vingança de Deus?

R. Porque é tão grande e manifesta a malícia que eles encerram, que clama e pede vingança do céu contra quem os comete.

Dos novíssimos do homem

P. Quantos e quais são os últimos fins do homem, chamados novíssimos, que bem considerados o arredam do pecado?

R. Os últimos fins do homem, chamados *novíssimos*, são quatro:

1º. Morte;

2º. Juízo;

3º. Inferno;

4º. Paraíso.

P. Quando devemos pensar nestes novíssimos?

R. É coisa útil pensar todos os dias nos novíssimos e, particularmente, quando fazemos oração pela manhã, depois do despertar; e à noite, antes do repouso, e todas as vezes que nos sentirmos tentados para o pecado.

Lição V
Dos exercícios do cristão para santificar o dia

P. Que deve fazer um bom cristão pela manhã ao despertar?

R. Um bom cristão, pela manhã ao despertar, deve fazer o sinal da cruz e oferecer seu coração a Deus, dizendo estas ou semelhantes palavras: *meu Deus, meu Senhor, eu vos ofereço meu coração e minha alma.*

P. Que coisa deve pensar o bom cristão ao levantar-se do leito e ao vestir-se?

R. Ao levantar-se do leito e ao vestir-se, o bom cristão deve pensar que Deus o vê, que aquele dia pode ser o último de sua vida; levanta-se e veste-se, observando toda a modéstia possível.

P. Depois de se vestir, que deve fazer o bom cristão?

R. Depois de se vestir, deve o bom cristão ajoelhar-se diante do crucifixo ou de uma imagem da Virgem Santíssima e, renovando o pensamento de que Deus o vê, devotamente dirá: *meu Deus, eu vos adoro e vos amo com todo o meu coração, dou-vos graças por me terdes criado e feito cristão e por me terdes conservado a vida até este dia; ofereço-vos todas as minhas ações e vos suplico me preserveis, neste dia, do pecado e me livreis de todo o mal. Amém.*

Pai-nosso, Ave-Maria, Credo, Atos de Fé, de Esperança e de Caridade.

P. Que outras práticas deverá fazer o bom cristão todos os dias?

R. O bom cristão, podendo, deverá pela manhã fazer uns vinte minutos de oração mental e uma meia hora de leitura espiritual, ouvirá missa e visitará o Santíssimo Sacramento no altar; à noite, rezará o terço do Rosário de Nossa Senhora.

P. Que convém fazer para santificar o trabalho?

R. Antes de se pôr ao trabalho, deve o bom cristão elevar sua mente a Deus e, de coração, dizer: *Senhor, ofereço-vos este trabalho, santificai-o com a vossa bênção. Em nome do Pai e do Filho e do Espírito Santo. Amém.*

P. Com que fim se deve trabalhar?

R. Deve-se trabalhar para glória de Deus e para fazer a sua santa vontade.

P. Como se há de santificar a comida?

R. Antes de pôr-nos à mesa, de pé, devemos fazer o sinal da cruz e dizer com devoção: *meu Deus e meu Senhor, dai-nos a vossa bênção e abençoe também o alimento que vamos tomar. Em nome do Pai e do Filho e do Espírito Santo. Amém.*

P. Depois da comida, que convém fazer?

R. Depois da comida, convém fazer o sinal da cruz e dizer: *Deus e Senhor nosso, infinitas graças vos damos pelo alimento que acabamos de tomar; dignai-vos conceder-nos a graça de perseverar no vosso serviço, fiéis à vossa santa lei. Em nome do Pai e do Filho e do Espírito Santo. Amém.*

P. Que fazer quando nos sentirmos acometidos de alguma tentação?

R. Quando nos assaltam as tentações, façamos o sinal da cruz, invocando os santíssimos nomes de Jesus e de Maria ou dizendo alguma jaculatória, como por exemplo: *Senhor, dai-me a vossa graça para que nunca vos ofenda.*

P. Quando conhecermos ou suspeitarmos ter cometido algum pecado grave, que devemos fazer?

R. Devemos quanto antes fazer um ato de contrição e confessar-nos.

**P. Que coisa se deve fazer ao toque das Ave-
-Marias?**

R. Ao toque das Ave-Marias o bom cristão
deve rezar o *Angelus Domini* como se segue:

O Anjo do Senhor anunciou a Maria.
E ela concebeu do Espírito Santo.
Ave, Maria
Eis aqui a escrava do Senhor,
Faça-se em mim segundo a vossa palavra.
Ave, Maria
E o Verbo Divino se fez homem,
E habitou entre nós.
Ave, Maria.

V. *Rogai por nós, Santa Mãe de Deus.*

R. *Para que sejamos dignos das promessas de*
Cristo.

Oremos

Infunde, Senhor, nós vos pedimos, a vossa graça
nos nossos corações, para que nós que, pela embai-
xada do Anjo, viemos a conhecer a encarnação de
Jesus Cristo, vosso Filho, pela sua paixão e morte de
cruz sejamos conduzidos à glória da Ressurreição.
Pelo mesmo Cristo Senhor Nosso. Amém.

Em todo o tempo pascal, isto é, desde o meio
dia do Sábado de Aleluia até ao meio dia do sábado imediato ao domingo da Santíssima Trindade,
em lugar do *Angelus Domini* dir-se-á a seguinte
Antífona Regina coeli etc.

V. *Rainha do céu, alegrai-vos, aleluia.*

R. *Porque o que merecestes trazer em vosso puríssimo seio, aleluia.*

V. *Ressuscitou como disse, aleluia.*

R. *Rogai a Deus por nós, aleluia.*

V. *Exultai e alegrai-vos, ó Virgem Maria, aleluia.*

R. *Porque o Senhor ressuscitou verdadeiramente, aleluia.*

Oremos

Ó Deus, que vos dignastes alegrar o mundo com a Ressurreição de vosso Filho e Senhor Nosso, Jesus Cristo; concedei-nos que por sua Mãe Santíssima, a puríssima Virgem Maria, consigamos os inefáveis prazeres da vida eterna. Pelo mesmo Jesus Cristo Senhor Nosso. Amém.

P. À noite, antes de se deitar, que fará o bom cristão?

R. À noite, o bom cristão, antes de se deitar, de joelhos, renovará o pensamento de que Deus o vê, fará um breve exame de consciência das culpas que, durante o dia, cometeu contra Deus, contra o próximo e contra si mesmo, rezará com devoção as mesmas orações que rezou pela manhã e terminará com a seguinte oração:

Visitai, Senhor, essa casa e afaste dela todas as insídias do inimigo. Nela habitem os vossos anjos para nos guardar em paz, e a vossa bênção esteja sempre conosco. Por Cristo Senhor Nosso. Amém.

P. Ao deitar-se, que fará o bom cristão?

R. Ao deitar-se, o bom cristão fará o sinal da cruz e, lembrando-se que lhe pode vir a morte nessa noite, oferecerá seu coração a Deus do seguinte modo: *meu Senhor e meu Deus, eu vos consagro meu coração; Santíssima Trindade, concedei-me a graça de bem viver e de bem morrer. Jesus, Maria e José, a vós encomendo a minha alma.*

P. Além das orações acima mencionadas pela manhã e à noite, que outras orações poderá o bom cristão dirigir a Deus durante o dia?

R. Durante o dia, o bom cristão poderá dirigir a Deus brevíssimas orações que se chamam jaculatórias, as quais são como pequenos dardos ou setas, que se arremessam ao coração de Deus.

P. Dize-me algumas dessas jaculatórias?

R. *Senhor, ajudai-me. – Senhor, seja feita a vossa vontade. – Meu Jesus, antes morrer que vos ofender. – Meu Jesus, quero ser todo vosso. – Meu Jesus, eu vos quero amar. – Meu Jesus, misericórdia.*

P. É coisa útil dizer muitas vezes ao dia essas jaculatórias?

R. É coisa utilíssima, que muito conforta o espírito e afervora os corações, no meio das lutas e contrariedades da vida, e se podem dizer sem proferir palavra e no meio das ocupações.

P. Além das orações jaculatórias, que outro exercício pode, com proveito, praticar o bom cristão?

R. Além das orações jaculatórias, pode o bom cristão, com proveito, exercitar-se na prática da mortificação cristã.

P. Que é a mortificação cristã?

R. A mortificação cristã é a ação generosa e resoluta com que, de coração, nos abstemos, por amor de Deus, das coisas que mais nos agradam e aceitamos com ânimo sereno o que repugna aos nossos sentidos e ao nosso amor-próprio.

P. Ao ouvir os sinos anunciarem a morte de alguém, que deve fazer o bom cristão?

R. O bom cristão deve recomendar a alma desse irmão a Deus, e pedir-lhe por ela misericórdia e perdão, rezando o *De profundis* e um *Requiem*.

São estas as práticas mais comuns com que um bom cristão poderá santificar os dias de sua existência e preparar-se para se apresentar diante de Deus no dia de sua morte.

Instruções sobre as principais solenidades da Igreja

Parte I

Celebração dos mistérios divinos e práticas eclesiásticas que com eles se relacionam

Os reverendos, párocos e catequistas poderão servir-se das lições IV e X da terceira parte deste catecismo para uma instrução geral sobre as festas, assim como se poderão servir das seguintes instruções para repetirem aos fiéis os mistérios e práticas eclesiásticas, à medida que se apresentam, no correr do ano, servindo-se das outras quatro partes do Catecismo para instrução catequista seguida, como determina o santíssimo Padre Pio X, em sua Encíclica Acerbo Nimis.

Lição I
Do Advento

P. Por que se chama Advento as quatro semanas que precedem a Festa do Natal?

R. As quatro semanas que precedem a Festa do Natal chamam-se Advento, que quer dizer *vinda*, *chegada*, porque nesse tempo a Igreja se prepara para comemorar dignamente a primeira vinda de Jesus Cristo ao mundo, pelo seu nascimento temporal.

P. Que coisa propõe a Igreja à nossa consideração durante o Tempo do Advento?

R. Durante o Tempo do Advento, a Igreja propõe à nossa consideração quatro coisas:

1º. As promessas que Deus tinha feito de mandar-nos o Messias para nossa salvação;

2º. Os desejos dos antigos patriarcas, que suspiravam pela vinda dele;

3º. A pregação de São João Batista, exortando o povo a fazer penitência para se preparar para receber o Messias;

4º. A última vinda de Jesus Cristo glorioso para julgar os vivos e os mortos.

P. Que devemos então fazer no Advento para nos conformar com as intenções da Igreja?

R. Para nos conformar no Advento com as intenções da Igreja, devemos:

1º. Meditar com fé e amor no grande benefício da encarnação do Filho de Deus;

2º. Reconhecer a nossa miséria e a grande necessidade que temos de Jesus Cristo;

3º. Pedir-lhe instantemente que venha nascer e crescer espiritualmente em nossas almas pela sua graça;

4º. Preparar-lhe o caminho com boas obras da penitência e principalmente com a frequência dos santos sacramentos;

5º. Pensar frequentemente na sua última vinda, e procurar que a nossa vida se conforme com a sua, para podermos tomar parte na sua glória.

Lição II
Do Natal

P. Que é o Natal?

R. O Natal é a festa instituída para comemorar o nascimento temporal de Nosso Senhor Jesus Cristo.

P. Que mais devemos fazer nessa solenidade para nos conformarmos com as intenções da Igreja?

R. Para nos conformarmos com as intenções da Igreja nas festas do Natal havemos de fazer as seguintes coisas:

1º. Preparar-nos na vigília, unindo ao jejum um recolhimento maior que o de costume;

2º. Pedir a Jesus que se digne nascer espiritualmente em nossa alma;

3º. Receber os santos sacramentos;

4º. Assistir, se for possível, aos ofícios divinos, à noite, e meditar em cada uma das três missas os mistérios correspondentes.

Lição III
Da Circuncisão do Senhor

P. Que festa celebra a Igreja no primeiro dia do ano?

R. No primeiro dia do ano celebra-se o mistério da Circuncisão e o nome de Jesus dado ao Divino Redentor.

P. Quem deu ao Divino Redentor o nome de Jesus?

R. O nome de Jesus foi dado ao Divino Redentor pelo seu Pai Celeste e anunciado a Maria pelo arcanjo São Gabriel.

P. Que significa o nome Jesus?

R. O nome *Jesus* significa *salvador*, o Pai Celeste quis assim chamar seu divino Filho, porque Ele vinha salvar-nos e livrar-nos dos nossos pecados.

P. Devemos ter grande respeito a esse nome?

R. Sim, devemos ter grande respeito ao nome de Jesus, porque ele representa o nosso Divino Salvador, que nos reconciliou com Deus e nos ganhou a vida eterna.

P. Que devemos fazer para celebrar essa festa, segundo o espírito da Igreja?

R. Para celebrar a Festa da Circuncisão, segundo o espírito da Igreja, devemos fazer os três atos seguintes:

1º. Adorar Jesus Cristo, render-lhe graças e amá-lo;

2º. Invocar com fé viva e com respeito o seu santíssimo nome e nele colocar toda a nossa confiança;

3º. Consagrar a Deus o ano que começamos renovando os votos do Batismo e pedindo que nos conceda a graça de passá-lo em seu serviço.

Lição IV
Da Epifania do Senhor

P. Que festa é a Epifania do Senhor?

R. A Epifania do Senhor é uma festa instituída pela Igreja para celebrar a memória de três grandes mistérios, a saber:

1º. A adoração dos Reis Magos;

2º. O batismo de Jesus Cristo;

3º. O primeiro milagre de Nosso Senhor nas Bodas de Caná da Galileia.

P. Por que se chama Epifania esta festa?

R. Esta festa chama-se *Epifania*, que quer dizer *manifestação*, porque nesses mistérios grandemente se manifestou aos homens a glória de Jesus Cristo.

P. Quem eram os Reis Magos?

R. Os Reis Magos eram personagens respeitáveis do Oriente, que, segundo alguns, se davam ao estudo dos astros e foram os primeiros gentios que o Senhor chamou à fé, guiando-os a Jesus por meio de uma nova estrela que miraculosamente lhes apareceu no céu.

P. Que fizeram os Reis Magos quando encontraram a Jesus Cristo?

R. Os Reis Magos, logo que encontraram Jesus Cristo, adoraram-no e lhe ofereceram ouro, incenso e mirra, reconhecendo-o com esta oferta como verdadeiro rei, verdadeiro Deus e verdadeiro homem.

P. Qual é o segundo mistério que se celebra na Epifania?

R. O segundo mistério que se celebra na Epifania é o batismo de Nosso Senhor Jesus Cristo.

P. Por quem foi batizado Jesus?

R. Jesus foi batizado por São João Batista.

P. Que era o batismo de São João Batista?

R. O batismo de São João Batista era uma figura do batismo que ia ser instituído por Jesus Cristo.

P. Como se manifestou a glória da Jesus Cristo ao ser batizado por São João Batista?

R. Ao ser batizado Jesus, abriu-se o céu, desceu sobre sua cabeça o Espírito Santo em forma de pomba; ouviu-se então a voz de Deus Pai, dizendo: *este é o meu Filho amado.*

P. Qual é o terceiro mistério que se celebra na Festa da Epifania?

R. O terceiro mistério que se celebra na Festa da Epifania é o primeiro milagre pelo qual Jesus Cristo manifestou sua divindade, quando em Caná, a pedido de sua Mãe Santíssima, converteu a água em vinho.

P. Que devemos fazer para celebrar esta solenidade, segundo o espírito da Igreja?

R. Para celebrar esta solenidade, segundo o espírito da Igreja, devemos:

1º. Dar graças ao Senhor, por nos ter chamado das trevas do gentilismo à luz da fé, e oferecer-lhe o incenso das nossas adorações, o ouro da caridade e a mirra da mortificação;

2º. Pedir a Jesus que estenda o dom da fé àqueles que não a possuem;

3º. Excitar-nos a uma tenra devoção para com Maria Santíssima, por cuja intercessão Jesus, seu Filho, nos concede todas as graças.

Lição V
Dos domingos da Septuagésima, Sexagésima e Quinquagésima

P. Que se entende por Septuagésima, Sexagésima e Quinquagésima?

R. A *Septuagésima*, a *Sexagésima* e a *Quinquagésima* são três domingos que precedem a Quaresma e são como uma preparação para a penitência do tempo quaresmal.

P. Por que têm tais nomes estes domingos?

R. Estes domingos têm tais nomes porque a Septuagésima dista pouco mais ou menos 70 do domingo da Ressurreição, 60 a Sexagésima e 50 a Quinquagésima.

P. Por que omite a Igreja neste tempo o Aleluia, que significa alegria e toma a cor roxa, que significa tristeza?

R. A Igreja, nesse tempo, deixa o *Aleluia* e toma a cor roxa, porque, nesse tempo, começa a penitência, que se completará pelo jejum da Quaresma e, com esses sinais de tristeza, convida os fiéis ao recolhimento e a uma vida retirada das vãs alegrias do mundo.

P. Que faz o mundo neste tempo?

R. O mundo, neste tempo, entrega-se às perigosas distrações do Carnaval.

P. Que males resultam das dissipações do Carnaval?

R. Nas dissipações do Carnaval arrefece-se a piedade, multiplicam-se os escândalos e as ocasiões de pecado e, assim, se estorva o fruto da Quaresma.

P. A quem se podem comparar os licenciosos que praticam tantos desatinos e desordens com suas mascaradas?

R. Os que praticam tantos desatinos e desordens com suas mascaradas podem-se comparar com os judeus e soldados, que despiram Jesus Cristo, vendaram-lhe os olhos e ultrajaram de mil modos sua divina pessoa.

P. Que convém fazer para nos conformarmos com os desejos da Igreja no tempo do Carnaval?

R. Para nos conformarmos com os desejos da Igreja, no tempo do Carnaval, devemos abster-nos dos espetáculos e divertimentos mundanos; aplicar-nos com maior fervor à oração e à mortificação, e reparar tantos pecados que se cometem nesses dias, fazendo frequentes visitas ao Santíssimo Sacramento, máxime quando é exposto à pública adoração, como ardentemente deseja e recomenda a Santa Madre Igreja.

P. E se acaso for necessário ou conveniente assistir a algum lícito divertimento, o que convém fazer?

R. Convém implorar o auxílio da graça divina para evitar o pecado, manter a atitude modesta e reservada e procurar entreter o pensamento com alguma máxima evangélica.

Lição VI
Da Quaresma

P. Que coisa é a Quaresma?

R. A *Quaresma* é um tempo de jejum e de penitência instituído pela Igreja por tradição apostólica.

P. Para que foi estabelecida a Quaresma?

R. A Quaresma foi estabelecida:

1º. Para nos fazer conhecer a obrigação que temos de fazer penitência todo o tempo de nossa vida, figurada, no dizer dos Santos Padres, pela Quaresma;

2º. Para, de algum modo, imitar o rigoroso jejum de 40 dias que Jesus Cristo fez no deserto;

3º. Para nos preparar pela penitência a celebrar santamente a Páscoa.

P. Por que se chama Dia de Cinzas o primeiro dia da Quaresma?

R. O primeiro dia da Quaresma chama-se dia de *Cinzas* porque naquele dia a Santa Igreja deita cinzas na cabeça dos fiéis.

P. Por que usa a Igreja deste rito no princípio da Quaresma?

R. A Igreja usa deste rito no princípio da Quaresma para nos lembrarmos que somos pó e que em pó nos havemos de tornar e, assim, humilharmo-nos e fazermos penitência dos nossos pecados enquanto é tempo.

P. Com que disposições devemos receber as Cinzas?

R. Devemos receber as Cinzas com o coração contrito e humilhado e com a santa resolução de passar a Quaresma praticando obras de penitência.

P. Que devemos fazer para passar a Quaresma segundo o espírito da Igreja?

R. Para passar a Quaresma segundo o espírito da Igreja, cumpre fazer três coisas:

1º. Observar exatamente o jejum e praticar a mortificação cristã;

2º. Exercitar-nos na oração e nas obras de caridade cristã para com o próximo, mais do que em qualquer outro tempo;

3º. Ouvir com frequência a Palavra de Deus e com uma boa confissão tornar mais meritório o jejum e preparar-nos para a comunhão pascal.

P. Em que consiste o jejum?[5]

R. O jejum consiste em fazer-se uma só refeição ao dia e em abster-se de comidas proibidas.

P. Quais são as comidas proibidas na Quaresma?

R. As comidas proibidas na Quaresma são a carne, os ovos e os laticínios. Nos outros jejuns é proibida somente a carne.

P. Nunca são permitidas essas comidas na Quaresma?

R. Essas comidas permitem-se ordinariamente por *Indulto Pontifício*, isto é, por concessão do sumo pontífice, ficando sempre firme a proibição de misturar carne com peixe na mesma refeição.

P. Antes ou depois do jantar não se pode tomar algum alimento?

R. Antes ou depois do jantar, pode-se tomar uma pequena refeição permitida pela Igreja, em atenção à debilidade dos fiéis que jejuam.

P. Quem está obrigado ao jejum?

R. Estão obrigadas ao jejum todas as pessoas que houverem completado 21 anos de idade e não tiverem algum impedimento.

---

5 Cf. lição XIII – Parte Terceira.

P. *Os que não estão obrigados ao jejum ficam inteiramente dispensados da mortificação?*

R. Os que não estão obrigados ao jejum devem fazer outras mortificações de que se julgarem capazes, segundo a idade e o estado de cada um, porque ninguém está livre da obrigação geral de fazer penitência.

P. *Por que se dizem, na Quaresma, as vésperas antes do meio-dia?*

R. Na Quaresma, os sacerdotes rezam as vésperas, antes do meio-dia, em lembrança da antiga e rigorosa disciplina que, no jejum quaresmal, não permitia a refeição antes de terminado o ofício do dia ou antes de serem cantadas as vésperas.

Lição VII
Da Semana Santa

P. *Por que se chama Santa a última semana da Quaresma?*

R. A última semana da Quaresma chama-se *Santa* porque nesses dias se comemoram os maiores mistérios praticados por Jesus Cristo para a nossa redenção.

P. *Que mistério se comemora no Domingo de Ramos?*

R. No *Domingo de Ramos* comemora-se a entrada triunfal de Jesus Cristo em Jerusalém, seis dias antes de sua Paixão.

P. Por que motivo Jesus Cristo quis entrar triunfante em Jerusalém, antes de sua Paixão?

R. Jesus Cristo quis entrar triunfalmente em Jerusalém antes de sua Paixão por quatro motivos principais:

1º. Para cumprir as profecias;

2º. Para representar o triunfo que com sua morte alcançaria contra o demônio, contra o mundo e contra a carne;

3º. Para representar a entrada que teria no céu entre as aclamações dos anjos e dos santos;

4º. Para confirmar na fé seus discípulos, demonstrando que ia padecer espontaneamente.

P. Que mistérios se comemora na Quinta-feira Santa?

R. Na Quinta-feira Santa comemora-se a instituição do Santíssimo Sacramento da Eucaristia.

P. Que mistério se comemora na Sexta-feira Santa?

R. Na Sexta-feira Santa comemora-se a Paixão e morte do Salvador.

P. Que mistério se comemora no Sábado Santo?

R. No Sábado Santo antecipa-se a comemoração da Ressurreição do Senhor.

P. Que devemos fazer para passar a Semana Santa segundo o espírito da Igreja?

R. Para passar a Semana Santa segundo o espírito da Igreja devemos fazer três coisas:

1º. Unir ao jejum maior recolhimento interno e maior fervor na oração;

2º. Meditar com frequência e compunção nos sofrimentos de Nosso Senhor Jesus Cristo;

3º. Assistir, se for possível, aos ofícios divinos com os mesmos sentimentos.

§ *Único – De alguns ritos da
Semana Santa em particular*

P. Por que se chama Domingo de Ramos o domingo da Semana Santa?

R. O Domingo da Semana Santa chama-se de Ramos por causa da procissão que se faz nesse dia, levando os fiéis um ramo de oliveira ou uma palma.

P. Por que se faz essa procissão?

R. Faz-se a procissão de Ramos para comemorar a entrada triunfal de Jesus Cristo em Jerusalém, no meio da multidão do povo que lhe vinha ao encontro, trazendo nas mãos ramos e palmas.

P. Quem foram os que saíram ao encontro de Jesus Cristo?

R. Saíram ao encontro de Jesus Cristo, no dia de sua entrada triunfal em Jerusalém, os homens simples do povo e os meninos, e não os grandes da cidade; de onde se entende como Deus ama a simplicidade de coração, a humildade e a inocência.

P. Por que, ao recolher da procissão, se bate três vezes com o pé da cruz na porta da Igreja, antes de a abrir?

R. Ao recolher da procissão, bate-se três vezes com o pé da cruz na porta da Igreja, para significar que o céu se tinha fechado com o pecado de Adão e que Jesus Cristo o abriu com sua morte na cruz.

P. Por que não se tocam os sinos desde Quinta-feira até ao Sábado Santo?

R. Não se tocam os sinos desde Quinta-feira até ao Sábado Santo em sinal da grande dor da Igreja pela Paixão e morte do Salvador.

P. Por que na Quinta-feira Santa se guarda uma hóstia grande consagrada?

R. Na Quinta-feira Santa guarda-se uma hóstia grande consagrada, para a comunhão do celebrante na Sexta-feira; porque neste dia não se oferece o sacrifício da missa.

P. Por que se descobrem os altares, na Quinta-feira Santa, depois da missa?

R. Na Quinta-feira Santa, depois da missa, descobrem-se os altares para representar Jesus Cristo despido de sua túnica na flagelação e crucifixão.

P. Por que se faz a cerimônia do Lava-pés nesse dia?

R. Faz-se cerimônia do Lava-pés nesse dia:

1º. Para renovar a lembrança do ato de humildade que praticou Jesus Cristo, lavando os pés a seus apóstolos, aos quais exortou e, na pessoa destes, aos fiéis para imitarem o seu exemplo;

2º. Para nos ensinar que devemos purificar o nosso coração de todas as manchas ainda diminutas, antes de chegarmos à mesa da comunhão;

3º. Para nos ensinar a praticar mutuamente os deveres da caridade e da humildade cristãs.

P. Por que fazem os fiéis nesse dia a visita de diversas igrejas, particularmente, ou em procissão?

R. Na Quinta-feira Santa os fiéis fazem a visita das Igrejas, em comemoração dos sofrimentos de Jesus Cristo em diversos lugares, a saber: no horto, na Casa de Caifás, no Palácio de Pilatos, no de Herodes e no Calvário.

P. Com que espírito se hão de fazer as visitas das igrejas na Quinta-feira Santa?

R. As visitas das igrejas na Quinta-feira Santa se hão de fazer:

1º. Com devoção e sincera contrição dos pecados, porque eles foram a verdadeira causa da Paixão e morte do nosso Redentor;

2º. Com verdadeiro espírito de compaixão de seus sofrimentos, meditando-os segundo os lugares onde se deram; por exemplo: na primeira visita meditam-se os sofrimentos do horto, na segunda, os do pretório de Pilatos, e assim por diante.

P. Por que faz a Igreja na Sexta-feira Santa oração por toda a sorte de pessoas, até pelos gentios e judeus?

R. Na Sexta-feira Santa a Igreja faz oração por toda a sorte de pessoas para demonstrar que Jesus Cristo morreu por todos e para implorar para todos os frutos de sua Paixão.

P. Por que na Sexta-feira Santa se adora solenemente a cruz?

R. Na Sexta-feira Santa adora-se solenemente a cruz porque nesse dia Jesus Cristo morreu pregado na cruz e a santificou com seu sangue.

P. Mas a adoração não se deve somente a Deus? Por que então se adora a cruz?

R. Adoramos a cruz, não referindo nossa adoração ao madeiro, mas a Jesus Cristo morto sobre aquele madeiro.

P. Que mais de particular se faz no Sábado Santo?

R. No Sábado Santo faz-se a bênção do círio pascal e da pia batismal.

P. Que significa o círio pascal?

R. O círio pascal significa o esplendor e a glória de Jesus Cristo ressuscitado.

P. Por que no Sábado Santo se benze a pia batismal?

R. Benze-se a pia batismal no Sábado Santo porque antigamente nesse dia e também na vigília de Pentecostes se administrava solenemente o batismo.

P. *Que devemos fazer enquanto se procede à essa bênção?*

R. Assistindo à bênção da pia batismal, demos graças ao Senhor por nos ter admitido ao batismo e renovemos as promessas, que então fizemos.

P. *Que outra consideração devemos fazer nesse momento?*

R. Devemos considerar que pelo batismo morremos para o mundo e nos sepultamos espiritualmente com Jesus Cristo para nunca mais pecar.

Lição VIII
Da Páscoa da Ressurreição

P. *Que mistério se celebra na Festa da Páscoa?*

R. Na Festa da Páscoa celebra-se o mistério da Ressurreição de Nosso Senhor, acontecida ao terceiro dia de sua Paixão e morte.

P. *Que quer dizer Ressurreição?*

R. Ressurreição quer dizer que a alma santíssima de Jesus Cristo se uniu ao seu corpo para o fazer voltar à vida gloriosa e impassível.

P. *Por que celebra a Igreja esta festa com tanta solenidade e alegria, ainda nos dois dias seguintes?*

R. A memória da Ressurreição de Jesus Cristo celebra-se com tanta solenidade por causa da grandeza deste mistério, que foi o complemento de nossa redenção e é a base de nossa religião.

P. Como foi a Ressurreição o complemento da nossa redenção? Não nos tinha Jesus Cristo remido com sua morte?

R. Jesus Cristo, por sua morte, tinha-nos libertado do pecado e reconciliado com Deus e, por meio de sua Ressurreição, nos abriu a porta da vida eterna.

P. Porque dizes que a ressurreição de Jesus Cristo é a base de nossa religião?

R. A ressurreição de Jesus Cristo é a base de nossa religião porque tendo Ele ressuscitado por virtude própria, conforme prenunciara aos seus apóstolos, provou claramente a sua divindade e a verdade das coisas que tinha ensinado, sobre as quais se baseia toda a religião cristã.

P. Que quer dizer a palavra Páscoa?

R. A palavra *Páscoa* quer dizer *Passagem*. Essa solenidade tomou este nome de uma grande festa que celebravam os hebreus, figura da atual Páscoa.

P. Que era a Páscoa dos hebreus?

R. Os hebreus com a sua Páscoa celebravam a libertação do povo de Deus do cativeiro do faraó, o qual era figura do cativeiro do demônio, de que nos livrou Nosso Senhor Jesus Cristo.

P. Porque essa festa se chamava Páscoa?

R. Essa festa chamava-se Páscoa, isto é, *passagem*, em comemoração da passagem do Anjo que matou os primogênitos de todas as famílias do Egito, poupando somente as dos hebreus que, por mandado de Deus, tinham marcado as portas de suas casas com o sangue de um cordeiro, figura da virtude do Sangue do Cordeiro Imaculado, Jesus, que livrou os homens da morte eterna.

P. Com que rito os hebreus celebravam a Páscoa?

R. Os hebreus celebravam a Páscoa com muitos ritos, principalmente imolando e comendo um cordeiro, figura do sacrifício de Jesus, Cordeiro Imaculado, e do alimento que com seu corpo Ele havia de dar aos fiéis na Santíssima Eucaristia.

P. Que devemos fazer para celebrar dignamente essa festa?

R. Para celebrar dignamente a Páscoa devemos fazer três coisas:

1º. Adorar com santa alegria a Jesus Cristo ressuscitado;

2º. Alimentar-nos com a carne do Cordeiro Imaculado na sagrada comunhão;

3º. Ressuscitar espiritualmente com Jesus Cristo.

P. Que quer dizer ressuscitar espiritualmente com Jesus Cristo?

R. Ressuscitar espiritualmente com Jesus Cristo quer dizer que, assim como Ele por meio de sua ressurreição começou uma vida nova, imortal e celeste, também devemos começar uma vida nova segundo o Espírito, renunciando inteiramente e para sempre ao pecado e a tudo o que nos induz a ele; e amando somente a Deus e a tudo o que a Deus nos conduz.

P. Qual deve, então, ser o principal cuidado do cristão, depois de ter feito a Páscoa?

R. O principal cuidado do cristão, depois de ter feito a Páscoa, deve ser o de conservar fielmente a graça que recebeu.

P. Que quer dizer a palavra Aleluia, que frequentemente se repete nesse grande dia e em todo o tempo pascal?

R. *Aleluia* quer dizer *louvor ao Senhor*, e era, antigamente, um grito festivo, e por isso a Igreja o repete muitas vezes nesse tempo de tanta alegria.

P. Por que no tempo pascal se rezam de pé certas orações?

R. No tempo pascal rezam-se de pé certas orações em sinal de alegria e para representar a Ressurreição do Senhor.

Lição IX
Da procissão que se faz no Dia de São Marcos e nos três dias das rogações

P. Que se faz na Igreja no Dia de São Marcos e nos três dias das rogações?

R. No Dia de São Marcos e nos três dias das rogações a Igreja manda fazer procissões e preces solenes, que se chamam *ladainhas*[6].

P. Que significa a palavra rogações?

R. A palavra *rogações* significa preces e súplicas.

P. Dize-me mais claramente o que são essas ladainhas ou rogações?

---

6 As ladainhas do dia de São Marcos se chamam *maiores*; *menores*, as outras. Estas, segundo o rito romano, se celebram nos três dias que precedem a Ascensão.

R. As ladainhas ou rogações são preces públicas de origem remotíssima, as quais costumavam assistir os cristãos, em grande número, com pés descalços e trazendo instrumentos de penitência.

A Igreja fá-las para aplacar a Deus, a fim de que nos perdoe os pecados e afaste de nós os seus justos castigos, abençoe os frutos da terra e preveja as nossas necessidades espirituais e temporais.

P. Como devemos tomar parte nessas e outras semelhantes procissões?

R. Devemos tomar parte nas procissões:

1º. Com modéstia e recolhimento;

2º. Com verdadeiro espírito de penitência e de oração, cantando devotamente ou fazendo outras preces;

3º. Com firme confiança de que Deus nos conceda as suas bênçãos para a alma e para o corpo.

Lição X
Da Ascensão do Senhor

P. Que Festa é a Ascensão do Senhor?

R. A Ascensão do Senhor é uma festa instituída em comemoração do dia glorioso em que Jesus Cristo, na presença dos seus discípulos, por virtude própria, subiu ao céu. O que se deu 40 dias depois da Ressurreição.

P. Como pode ser isso? Cristo não estava já no céu?

R. Jesus Cristo estava já no céu como Deus, mas subiu ao céu como homem, em corpo e alma.

P. Jesus Cristo entrou só no céu?

R. Jesus Cristo levou consigo as almas dos patriarcas e dos outros homens justos do Antigo Testamento, que tirará do limbo.

P. Que cumpre fazer para celebrarmos dignamente essa festa?

R. Para celebrarmos dignamente a Festa da Ascensão cumpre fazer três coisas:

1º. Adorar a Jesus Cristo no céu, como nosso medianeiro e advogado;

2º. Desprender inteiramente deste mundo o nosso coração, como de um lugar de exílio, e levantá-lo unicamente para o céu, como nossa verdadeira pátria;

3º. Resolver imitar a Jesus Cristo na mortificação e nos padecimentos, para termos parte em sua glória.

P. Que mais deverão fazer os fiéis desde a Festa da Ascensão até a de Pentecostes?

R. Desde a Festa da Ascensão até a de Pentecostes deverão os fiéis preparar-se, como outrora os apóstolos, com interno recolhimento e com perseverante e fervorosa oração para receberem o Espírito Santo.

P. Por que nesta festa, depois de lido o Evangelho da missa solene, se extingue e se remove o círio pascal?

R. No Dia da Ascensão, depois do Evangelho da missa solene, extingue-se e remove-se o círio pascal para se representar a separação de Jesus Cristo dos apóstolos.

Lição XI
Da Festa de Pentecostes

P. Que mistério comemora a Igreja na solenidade de Pentecostes?

R. Na solenidade de Pentecostes, a Igreja comemora o grande mistério da descida do Espírito Santo sobre os apóstolos.

P. Que quer dizer a palavra **Pentecostes?**

R. A palavra *Pentecostes* quer dizer *dia quinquagésimo*, nome de uma grande festa dos hebreus, que era figura do Pentecostes cristão.

P. Que coisa comemoravam os hebreus em seu Pentecostes?

R. Os hebreus comemoravam em sua Pentecostes a lei que Deus, solenemente, promulgou no Monte Sinai, a qual lhes foi dada escrita em duas tábuas de pedra. Isto aconteceu 50 dias depois da primeira Páscoa, isto é, depois que eles foram libertados da escravidão do Egito.

P. Como se realizou no Pentecostes dos cristãos o que tinha sido figurado no Pentecostes dos hebreus?

R. No Pentecostes dos cristãos realizou-se o que tinha sido figurado no Pentecostes dos hebreus, pela descida do Espírito Santo sobre os apóstolos, 50 dias depois da primeira Páscoa cristã, isto é, 50 dias depois da Ressurreição de Nosso Senhor Jesus Cristo; de fato, desde aquele momento começou, por obra dos apóstolos, a pregação do Evangelho.

P. Como se deu a descida do Espírito Santo?

R. A descida do Espírito Santo sobre os apóstolos deu-se do seguinte modo: sentiu-se subtamente um grande rumor, que vinha do céu, como de um vento impetuoso e no mesmo instante apareceram numerosas línguas de fogo, que se dividiram e pousaram sobre cada um dos que se achavam reunidos no Cenáculo.

P. Que efeitos produziu nos apóstolos o Espírito Santo?

R. Os apóstolos, depois da descida do Espírito Santo sobre eles, sentiram-se cheios de luz, de força, de caridade e da abundância de todos os seus dons.

P. Que coisa se notou de extraordinário nos apóstolos quando receberam o Espírito Santo?

R. Os apóstolos, logo que receberam o Espírito Santo, de ignorantes tornaram-se sábios conhecedores dos mais profundos mistérios e das Santas Escrituras; de tímidos tornaram-se intrépidos, pregando corajosamente a fé em Jesus Cristo; falavam diversos idiomas e operavam grandes milagres.

P. Quais foram os primeiros frutos da pregação dos apóstolos?

R. O primeiro fruto foi a conversão de três mil pessoas pela palavra de São Pedro, dirigida naquele mesmo dia à multidão aí reunida.

P. O Espírito Santo foi mandado somente para os apóstolos?

R. O Espírito Santo foi mandado para proveito de toda a Igreja.

P. *Que faz o Espírito Santo na Igreja?*

R. O Espírito Santo vivifica a Igreja e com sua perpétua assistência a rege; daí procede sua força invencível nas perseguições que ela sofreu e ainda há de sofrer; daí a vitória sobre seus inimigos, a pureza de sua doutrina e o espírito de santidade que nela persevera, no meio da grande corrupção do mundo.

P. *Quando é que se recebe o Espírito Santo?*

R. O Espírito Santo se recebe no Batismo e com maior abundância de graças na Crisma.

P. *Como se perde a graça do Espírito Santo?*

R. A graça do Espírito Santo perde-se pelo pecado mortal.

P. *Como se pode readquirir essa graça?*

R. A graça do Espírito Santo se pode readquirir por meio do Sacramento da Penitência.

P. *Que devemos fazer nessa festa para honrar o Espírito Santo e receber os seus dons?*

R. Na Festa de Pentecostes, para honrar o Espírito Santo e receber os seus dons, devemos fazer três coisas:

1º. Adorar o Espírito Santo;

2º. Suplicar-lhe que venha sobre nós; que nos dê suas luzes, força e amor, para conhecermos e observarmos constantemente a Lei de Deus;

3º. Chegar-nos dignamente aos Santos Sacramentos.

P. Que mais devemos fazer nessa festa?

R. Devemos mais agradecer ao nosso Salvador Jesus Cristo, que tendo-nos enviado nesse dia o Espírito Santo, segundo a sua promessa, completou todos os mistérios e assentou sobre bases inabaláveis a Igreja e a enriqueceu de todos os seus dons.

Lição XII
Da Festa da Santíssima Trindade

P. Quando celebra a Igreja a Festa da Santíssima Trindade?

R. Todos os dias do ano a Igreja tributa honras à Santíssima Trindade, principalmente aos domingos, mas no primeiro domingo depois de Pentecostes a Igreja dedica à Santíssima Trindade uma festa especial.

P. Por que celebra a Igreja essa festa especial da Santíssima Trindade, no primeiro domingo depois de Pentecostes?

R. Celebra-se a festa especial da Santíssima Trindade no domingo depois de Pentecostes, para que entendamos que o fim dos mistérios de Jesus Cristo e da descida do Espírito Santo foi guiar-nos ao conhecimento da Santíssima Trindade para adorá-la em espírito e verdade.

P. Que coisa professamos crer, crendo na Santíssima Trindade?

R. Crendo na Santíssima Trindade, professamos crer que há um só Deus em três pessoas realmente distintas, Pai e Filho e Espírito Santo.

P. Por que se costuma representar a Santíssima Trindade em forma visível? Não é Deus puríssimo espírito?

R. Sim, Deus é puríssimo espírito, mas é costume representar por imagens visíveis as três pessoas divinas, para significar a nosso modo algumas propriedades ou ações que se atribuem a cada uma delas ou a forma com que se dignaram algumas vezes aparecer aos homens.

P. Por que se representa o Pai na figura de um ancião?

R. Representa-se Deus Pai na figura de um ancião para significar a eternidade divina, e porque Ele é a primeira pessoa da Santíssima Trindade e princípio das outras duas.

P. Por que se representa o Filho em forma de homem?

R. O Filho representa-se em forma de homem porque Ele se fez homem por nossa salvação.

P. Por que se representa o Espírito Santo em forma de pomba?

R. O Espírito Santo se representa em forma de pomba porque nesta forma desceu sobre Jesus Cristo quando foi batizado por São João.

P. Que nos cumpre fazer nessa solenidade?

R. Na Festa da Santíssima Trindade cumpre-nos fazer três coisas:

1º. Adorar este mistério com fé simples e humilde e agradecer a Deus por nos tê-lo revelado.

2º. Consagrar-nos inteiramente à Santíssima Trindade e submeter-nos inteiramente à sua Divina Providência.

3º. Considerar que pelo batismo entramos na Igreja e nos tornamos membros de Jesus Cristo pela invocação e pela virtude do nome do Pai e do Filho e do Espírito Santo.

P. Que mais devemos fazer?

R. Devemos tomar a resolução de fazer com frequência e devotamente o sinal da cruz, que exprime este mistério e repetir muitas vezes com viva fé as palavras que a Igreja repete de contínuo: *glória ao Pai e ao Filho e ao Espírito Santo*.

Lição XIII
Da Festa do Corpo de Deus

P. Que festa se celebra na quinta-feira depois da Festa da Santíssima Trindade?

R. Na quinta-feira depois da Festa da Santíssima Trindade celebra-se a grande solenidade do Santíssimo Sacramento do Altar, chamada comumente Festa do *Corpo de Deus*.

P. Mas não celebrou já a Igreja na Quinta-feira Santa a instituição do Santíssimo Sacramento?

R. Sim, mas como se achava então a Igreja toda ocupada com as dores da Paixão, só podia destinar à instituição desse mistério uma parte de seu ofício. Por isso, estabeleceu uma festa unicamente destinada a celebrar com toda a pompa e alegria.

P. De que modo honraremos este mistério?

R. Honraremos devidamente a Festa do Corpo de Deus:

1º. Recebendo com fervor e devoção a Sagrada Eucaristia e agradecendo ao Senhor por se haver dignado de se comunicar a cada um de nós neste sacramento;

2º. Tomando parte na solene procissão, que neste dia se costuma fazer;

3º. Comemorando toda a oitava com a assistência cotidiana aos ofícios divinos e, particularmente, ao santo sacrifício da missa e, ainda, com frequência, a Jesus Sacramentado?

P. Por que se leva neste dia em procissão solene a Santíssima Eucaristia?

R. Na Festa do Corpo de Deus leva-se solenemente a Santíssima Eucaristia em procissão:

1º. Para celebrar a vitória que a Igreja, amparada por Jesus Cristo, conseguiu dos inimigos neste sacramento;

2º. Para aviventar a fé e aumentar a devoção dos fiéis;

3º. Para, de algum modo, reparar as injúrias que lhe fazem os inimigos da religião.

P. Como devemos assistir a esta procissão?

R. Devemos assistir a esta procissão:

1º. Com recolhimento, modéstia, sentimentos de fé, de confiança, de amor e de reconhecimento para com Jesus Cristo presente na hóstia consagrada;

2º. Com intenção de honrar o triunfo glorioso de Jesus Cristo;

3º. Com intenção de lhe pedir humildemente perdão das comunhões indignas e de todas as profanações que se fazem deste grande sacramento.

P. Que festa se celebra logo depois da oitava do Corpo de Deus?

R. Na sexta-feira, logo depois da oitava do Corpo de Deus, celebra-se a Festa do Santíssimo Coração de Jesus.

P. Para que instituiu a Igreja a Festa do Santíssimo Coração de Jesus?

R. A Igreja instituiu a Festa do Santíssimo Coração de Jesus:

1º. Para honrar o amor infinito com que este divino coração amou aos homens, repartindo com eles inefáveis benefícios;

2º. Para nos estimular a retribuir com amor tantas e tão grandes provas de amor;

3º. Para nos empenhar em desagravar a Jesus Cristo de tantos ultrajes e profanações que Ele recebe todos os dias no Santíssimo Sacramento do Altar.

PARTE II
DAS FESTAS SOLENES DE MARIA SANTÍSSIMA E DE ALGUMAS OUTRAS SOLENIDADES PRINCIPAIS E DEVOÇÕES

Lição I
Da Imaculada Conceição de Maria Santíssima

P. Por que instituiu a Igreja a Festa da Imaculada Conceição?

R. A Igreja instituiu a Festa da Imaculada Conceição para honrar de um modo particular o mistério de ter sido Maria Santíssima, por singular privilégio e pelos merecimentos de Jesus Cristo Redentor, santificada pela graça divina desde o primeiro instante de sua conceição e, por isso, preservada imune de toda a culpa original.

P. Que significam as palavras da Imaculada Conceição de Maria Santíssima?

R. As palavras da *Imaculada Conceição de Maria Santíssima* significam que Maria Santíssima, de preferência a todos os outros descendentes de Adão, foi preservada por Deus do pecado original.

P. Por que razão quis Deus preservar Maria Santíssima do pecado original?

R. Deus quis preservar Maria Santíssima do pecado original porque não convinha à santidade e majestade de Jesus Cristo que a virgem destinada para sua Mãe fosse, ainda que por um só momento, escrava do demônio e inferior aos nossos progenitores Adão e Eva, que foram criados em estado de inocência.

P. Mas, se assim é, Jesus Cristo não foi redentor de sua Mãe Santíssima?

R. Sim, Jesus Cristo foi redentor também de sua Mãe Santíssima e o foi de um modo mais glorioso para ela, aplicando-lhe antecipadamente seus infinitos merecimentos e, assim, a preservou do pecado original, não sendo dele manchada nem ainda por um só instante.

P. É de fé que Maria Santíssima foi concebida sem o pecado original?

R. Sim, é de fé que Maria Santíssima foi concebida sem pecado original, porque esta verdade foi solenemente definida pelo Sumo Pontífice Pio IX, em oito de dezembro de 1854, e quem não o quiser crer será herege.

P. Mas então o sumo pontífice com essa definição criou na Igreja uma nova verdade de fé?

R. Não, com isso não criou o sumo pontífice uma nova verdade de fé, mas somente definiu que esta é uma verdade revelada por Deus à Igreja, ainda que a Igreja, por justos motivos, tenha demorada em proclamá-la aos fiéis.

P. Em que dia comemora a Igreja a Festa da Imaculada Conceição?

R. A Igreja comemora a Festa da Imaculada Conceição no dia 8 de dezembro.

P. Que pretende a Igreja comemorando a Festa da Imaculada Conceição de Maria?

R. A Igreja, comemorando esta festa, pretende:

1º. Despertar em nossos corações profundo reconhecimento, por nos haver Deus dado nesse dia a Santíssima Virgem, da qual nasceu Jesus Cristo;

2º. Honrar nela o altíssimo privilégio da inocência original, e excitar-nos a conservar a nossa inocência ou a recuperá-la, se a tivermos perdido;

3º. Despertar e aumentar nos fiéis a devoção para com a Virgem Imaculada.

P. Em que faremos consistir, principalmente, esta devoção?

R. Em amar a pureza da alma e do corpo e em suplicar à Virgem Imaculada que a obtenhamos de Deus.

Lição II
Da Natividade de Maria Virgem

P. Em que dia celebra a Igreja a Festa da Natividade de Maria Virgem?

R. A Festa da Natividade de Maria Virgem celebra-se no dia 8 de setembro.

P. A Santíssima Virgem viveu sempre em graça?

R. Sim, Maria Santíssima viveu sempre cheia de graça e nunca pecou nem, ainda, venialmente.

P. Que vida levou a Virgem Santíssima?

R. A Virgem Santíssima, bem que descendente da estirpe real de Davi, levou uma vida pobre, humilde e oculta, mas preciosa aos olhos de Deus, ocupando-se sempre em amá-lo e em cumprir as obrigações de seu estado.

P. Praticou a Santíssima Virgem alguma coisa singularmente admirável logo desde os primeiros anos de sua infância?

R. Sim, foi o voto de virgindade que ela fez desde os seus mais tenros anos, coisa de que até então não havia exemplo.

P. Que devemos fazer nessa solenidade?

R. Na Festa da Natividade de Maria Santíssima devemos fazer quatro coisas:

1º. Dar graças a Deus pelos dons e pelos privilégios singularíssimos com que elevou acima de todas as criaturas Maria Santíssima, nossa Mãe;

2º. Pedir a Deus, por intercessão de Maria, que destrua em nós o reino do pecado e nos torne fiéis e constantes no seu serviço;

3º. Venerar a santidade de Maria e congratular-mo-nos com ela pelas suas grandezas;

4º. Procurar imitá-la conservando cuidadosamente a graça e aumentando-a com o exercício das virtudes, principalmente da humildade e da pureza com que ela se preparou para ser Mãe de Nosso Senhor Jesus Cristo.

Lição III
Da Anunciação de Maria Virgem

P. Que é a Festa da Anunciação de Maria?

R. A *Anunciação* de Maria é uma festa instituída para comemorar o dia em que o Anjo São Gabriel lhe anunciou que ela tinha sido escolhida para ser Mãe do Filho de Deus.

P. Onde estava a Santíssima Virgem quando lhe apareceu o anjo?

R. Quando lhe apareceu o anjo, a Santíssima Virgem estava em Nazaré, cidade da Galileia.

P. Com que palavras saudou o anjo a Santíssima Virgem?

R. O anjo saudou a Santíssima Virgem com as palavras com que nós a saudamos todos os dias – *Ave, cheia de graça, o Senhor é convosco; bendita sois vós entre as mulheres.*

P. Como se portou então a Santíssima Virgem?

R. A Santíssima Virgem turbou-se à vista do anjo e ao ouvir que estava destinada à grande honra de ser Mãe de Deus, de que se julgava indigna.

P. Que virtudes ela revelou recebendo a embaixada do anjo?

R. Maria Santíssima, ao receber a embaixada do anjo, mostrou uma pureza admirável, uma profunda humildade, uma fé e obediência perfeitas.

P. Como mostrou ela seu grande amor à pureza?

R. Maria Santíssima mostrou seu grande amor à pureza pela solicitude de conservar a virgindade, como o demonstrou no mesmo momento em que era destinada à dignidade de Mãe de Deus.

P. Como mostrou sua profunda humildade?

R. Maria Santíssima mostrou sua profunda humildade respondendo ao anjo as seguintes palavras: *Eis aqui a serva do Senhor* – chamando-se serva quando era escolhida para Mãe de Deus, Rainha do céu e da terra.

P. Como mostrou sua fé e obediência?

R. Maria Santíssima mostrou sua fé e obediência quando certificada pelo anjo de que o Senhor a chamava para a grande dignidade de Mãe de Deus, sem prejuízo de sua virgindade, respondeu prontamente: *Faça-se em mim segundo a vossa palavra.*

P. Que sucedeu naquele momento?

R. Naquele momento o Filho de Deus encarnou no ventre puríssimo de Maria Santíssima, por obra do Espírito Santo, tomando um corpo e uma alma como nós.

P. Que nos ensina a Santíssima Virgem em sua Anunciação?

R. A Santíssima Virgem em sua Anunciação ensina:

1º. Que as virgens devem temer a vista e muito mais a familiaridade com pessoas de outro sexo, e sobre todas as outras prerrogativas devem estimar o tesouro da virgindade;

2º. Ensina-nos a todos nós a preparar-nos com grande pureza e humildade para receber a Jesus Cristo na santíssima comunhão;

3º. Ensina-nos a executar com prontidão a vontade divina, quando esta nos é manifesta, especialmente na escolha do estado.

P. Que devemos fazer para celebrar dignamente a Festa da Anunciação?

R. Para celebrar dignamente a Festa da Anunciação devemos fazer três coisas:

1º. Adorar profundamente o Divino Verbo encarnado para nossa salvação e render-lhe graças por um tão grande benefício;

2º. Congratularmo-nos com a Santíssima Virgem pela dignidade de Mãe de Deus, honrá-la como senhora e advogada nossa;

3º. Fazer o propósito de rezar sempre com grande devoção e respeito a Saudação Angélica ou a Ave-Maria.

Lição IV
Da Purificação de Maria Virgem

P. Que é a Purificação de Maria Virgem?

R. A *Purificação* é uma festa instituída para comemorar o dia em que a Virgem Santíssima cumpriu a lei da purificação e apresentou no Templo de Jerusalém seu Divino Filho, Jesus Cristo.

P. Que era a lei da purificação?

R. A lei da purificação era uma prescrição de Moisés, que obrigava as mães a se apresentarem no templo, depois do nascimento de seus filhos, para se purificarem pela oferta de um sacrifício.

P. Que coisa ofereceu a Santíssima Virgem em sacrifício?

R. A Santíssima Virgem, como era pobre, ofereceu o sacrifício das mães pobres, a saber: um par de rolas ou de pombinhos.

P. Estava a Santíssima Virgem obrigada a essa lei?

R. Não, a Santíssima Virgem não estava a isso obrigada, porque, por um milagre, se tornara mãe sem detrimento de sua virgindade.

P. Então, por que se submeteu a Santíssima Virgem à lei da purificação?

R. A Santíssima Virgem submeteu-se à lei da purificação para nos dar exemplo de humildade e de obediência à lei de Deus.

P. Por que apresentou Maria Santíssima Jesus Cristo no templo?

R. Maria Santíssima apresentou Jesus Cristo no templo porque a lei antiga obrigava os pais a darem a Deus seus primogênitos e a resgatá-los, em seguida, por uma certa soma de dinheiro.

P. Que aconteceu de maravilhoso na apresentação de Jesus Cristo?

R. Na apresentação de Jesus Cristo aconteceu que Ele foi reconhecido por verdadeiro Messias por um santo velho de nome Simeão e por uma santa viúva de nome Ana.

P. Que coisa fez Simeão?

R. Simeão tomou nos braços o divino menino e, dando graças ao Senhor, prorrompeu no cântico *Nunc dimitis – agora, Senhor, podes deixar partir vosso servo*, com o que manifestou que morria satisfeito, depois de ter visto o Salvador.

P. Depois disso, que mais disse Simeão?

R. Simeão profetizou as perseguições que tinha de sofrer Jesus Cristo e as dores que por isso haviam de dilacerar o coração de sua Mãe Santíssima.

P. E que fez Ana?

R. Ana louvava e agradecia também ao Senhor por ter enviado o Salvador do mundo, e falava dele com todos os que esperavam a sua vinda.

P. Que devemos aprender no mistério da Purificação?

R. No mistério da Purificação devemos aprender, principalmente, três coisas:

1º. Observar exatamente a lei de Deus e não procurar pretextos para nos dispensarmos dela;

2º. Ter grande estima da humildade e purificar-mo-nos cada vez mais por meio da penitência;

3º. Oferecermo-nos a Deus, procurando em tudo sua glória e cumprindo sua vontade.

P. Que convém fazer os pais e mães no Dia da Purificação?

R. No Dia da Purificação, os pais e mães devem oferecer a Deus seus filhos, pedindo a graça de os criar cristãmente.

P. Para que fim se faz no Dia da Purificação uma procissão, levando velas acesas?

R. No Dia da Purificação faz-se uma procissão, levando velas acesas para comemorar a viagem da Santíssima Virgem, de Belém ao Templo de Jerusalém, com o Menino Jesus nos braços e o seu encontro com Simeão e Ana.

P. Como devemos assistir a esta procissão, segundo o espírito da Igreja?

R. Para assistir, segundo o espírito da Igreja, à procissão que se faz na Festa da Purificação devemos:

1º. Renovar a fé em Jesus Cristo, nossa verdadeira luz;

2º. Pedir-lhe, por intercessão de sua Mãe Santíssima, nos ilumine com a sua graça e nos torne dignos de ser um dia recebidos no templo de sua glória.

Lição V
Da Assunção de Maria Virgem

P. Que festa é a Assunção da Santíssima Virgem?

R. A *Assunção* de Maria Santíssima é uma grande solenidade com que a Igreja comemora a morte preciosa da Virgem Mãe de Deus e a sua gloriosa assunção ao céu.

P. Foi também levado ao céu o corpo de Maria Virgem?

R. Sim, segundo a tradição antiga e universal, cremos que Maria Virgem foi levada ao céu em corpo e alma, depois da morte, posto que a Igreja não o tenha ainda definido.

P. Qual é a glória de Maria Santíssima no céu?

R. Maria Santíssima foi exaltada sobre todos os coros dos anjos e sobre todos os santos como Rainha do céu e da terra.

P. Por que foi elevada a tanta glória a Santíssima Virgem?

R. A Santíssima Virgem foi elevada a tanta glória porque é Mãe de Deus e porque foi a mais humilde e a mais santa de todas as criaturas.

P. Que nos cumpre fazer nessa solenidade?

R. Nesta solenidade cumpre-nos:

1º. Congratularmo-nos com a Santíssima Virgem pela sua gloriosa assunção e exaltação;

2º. Venerá-la como senhora e advogada nossa junto ao seu Divino Filho;

3º. Suplicar-lhe que nos consiga de Deus a graça de termos uma vida santa, que nos assista na hora da morte e nos conduza a participar de sua glória.

P. Como podemos merecer a proteção de Maria Santíssima?

R. Mereceremos a proteção de Maria Santíssima imitando suas virtudes, principalmente sua pureza e humildade.

P. Podem também os pecadores confiar na proteção de Maria Santíssima?

R. Sim, os pecadores podem confiar na proteção de Maria Santíssima, contanto que tenham verdadeiro desejo de mudar de vida, por ser ela Mãe de misericórdia e refúgio dos pecadores.

Lição VI
Da Festa dos Anjos

P. Em que dia se celebra a Festa dos Anjos?

R. No dia 29 de setembro celebra-se a Festa de São Miguel e de todos os anjos. No dia 2 de outubro a dos Anjos da Guarda.

P. Por que na Festa de Todos os Anjos atribui a Igreja honra especial a São Miguel?

R. A Igreja atribui honra especial a São Miguel porque o reconhece como seu anjo tutelar e príncipe de todos os anjos.

P. Que devemos fazer para celebrar a Festa dos Anjos, segundo o espírito da Igreja?

R. Para celebrar a Festa dos Anjos, segundo o espírito da Igreja, devemos:

1º. Dar graças a Deus pelo benefício que lhes concedeu de se lhe terem conservado fiéis ao passo que se rebelaram contra o mesmo Deus, Lúcifer e os seus sequazes;

2º. Pedir a Deus a graça de lhes imitar a fidelidade e o zelo de sua glória;

3º. Venerá-los como príncipes da corte celeste e como nossos protetores e intercessores junto de Deus;

4º. Pedir-lhes que apresentem a Deus as nossas súplicas e nos obtenham o auxílio divino.

P. Quais são os anjos que honramos no dia 2 de outubro?

R. São os anjos que Deus nos deu para nos protegerem e guardarem no caminho da salvação.

P. Mas então cada um de nós tem um anjo da guarda? Como o sabemos?

R. Sim, cada um de nós tem o seu anjo da guarda, e sabemo-lo por meio da Sagrada Escritura e porque nos ensina a Igreja.

P. Que auxílio nos presta o anjo da guarda?

R. O anjo da guarda:

1º. Com tantas inspirações e com a lembrança dos nossos deveres, nos assiste e nos guia pelo caminho da salvação;

2º. Oferece a Deus nossas orações e nos obtém graças.

P. Que fruto devemos tirar desta doutrina?

R. Desta doutrina devemos tirar o fruto da gratidão constante à divina bondade por nos ter concedido os anjos da guarda, e aos mesmos anjos pelo cuidado amoroso que tomam de nós.

P. Em que deve consistir o nosso reconhecimento aos anjos da guarda?

R. O nosso reconhecimento dos anjos da guarda deve consistir em fazer quatro coisas:

1º. Respeitar a presença deles e não os contristar com o pecado;

2º. Seguir prontamente as inspirações que Deus nos sugere por meio deles;

3º. Fazer com a maior devoção nossas orações, a fim de que as aceitem e de boa vontade as ofereçam a Deus;

4º. Invocá-los com confiança em nossas necessidades e, especialmente, nas tentações.

Lição VII
Da Festa do Nascimento de São João Batista

P. Que festa se celebra no dia 24 de junho?

R. No dia 24 de junho celebra-se a Festa do Nascimento de São João Batista.

P. Quem é São João Batista?

R. São João Batista é o precursor de Jesus Cristo.

P. Por que se chama São João Batista o precursor de Jesus Cristo?

R. São João batista chama-se o precursor de Jesus Cristo porque foi enviado por Deus para anunciar Jesus Cristo aos hebreus e para preparar os homens a recebê-lo.

P. Por que honra a Igreja com uma festa especial o nascimento de São João Batista?

R. A Igreja honra com uma festa especial o nascimento de São João Batista porque esse nascimento foi santo e trouxe ao mundo uma santa alegria.

P. Não nasceu ele em pecado como os outros homens?

R. Não, porque foi santificado antes de nascer, pela presença de Jesus Cristo e pela palavra da Santíssima Virgem, quando visitou a Santa Isabel, mãe de São João Batista.

P. Por que se alegrou o mundo com o nascimento de São João Batista?

R. O mundo alegrou-se com o nascimento de São João Batista porque este indicava a próxima vinda do Messias.

P. De que modo o fez Deus conhecido em seu nascimento como seu precursor?

R. Com vários milagres, entre os quais sobressai o haver seu pai Zacarias recobrado a fala, perdida desde o anuncia do seu nascimento. Foi então que entoou o celebérrimo cântico: *Benedictus Dominus Deus Israel* – Bendito seja o Senhor Deus de Israel – com o qual rendeu graças ao Senhor por ter cumprido a promessa de um Salvador feita a Abraão e se congratulou com o seu próprio filho por ser ele o precursor do Salvador prometido.

P. Qual foi o teor da vida de São João Batista?

R. São João Batista, desde a sua infância, retirou-se para o deserto, onde passou a maior parte de sua vida, unindo constantemente à inocência de costumes uma austeríssima penitência; e aos 30 anos de idade, começou sua pregação pública, anunciou e indicou a presença do Redentor no mundo.

P. Como morreu São João Batista?

R. São João Batista foi decapitado por ordem de Herodes, por causa da santa liberdade com que reprovara a vida escandalosa deste príncipe.

P. Que coisa devemos imitar em São João Batista?

R. Em São João Batista devemos imitar:

1º. O amor da solidão, da humildade e da mortificação;

2º. O zelo de fazer conhecido e amado Jesus Cristo;

3º. A fidelidade a Deus em preferir a tudo sua glória e a salvação do próximo.

Lição VIII
Da Festa de São José, esposo da Santíssima Virgem

P. Por que entre as festas dos santos celebra a Igreja com particular solenidade a Festa de São José?

R. A Igreja celebra com particular solenidade a Festa de São José porque São José foi um dos maiores santos, foi esposo de Maria Virgem e desempenhou com Jesus Cristo todos os deveres de pai e é o patrono da Igreja universal.

P. Onde morava São José?

R. São José residia de ordinário em Nazaré, pequena cidade da Galileia.

P. Qual era a sua profissão?

R. A profissão de São José era a de um carpinteiro pobre que, apesar de descender da estirpe real de Davi, estava reduzido a ganhar o pão com o trabalho de suas mãos.

P. Que nos ensina a pobreza da família de São José?

R. A pobreza da família de São José ensina-nos a desprender o coração dos bens deste mundo e a sofrer de boa vontade a pobreza, se assim Deus for servido, que nela vivamos.

P. Podemos esperar muito da proteção de São José?

R. Podemos esperar todas as graças da proteção de São José, porque tão eminente foi a sua santidade, que o mesmo Espírito Santo o elogiou nas

Divinas Escrituras, e porque não há dúvidas que Jesus se mostre tão pronto em atendê-lo no céu quanto o foi em obedecer-lhe na terra.

P. Que devemos fazer para merecer a proteção de São José?

R. Para merecer a proteção de São José devemos invocá-lo frequentemente e imitá-lo nas suas virtudes, principalmente na humildade, no amor do trabalho e na perfeita resignação à vontade de Deus, que foi sempre a regra das suas ações.

Lição IX
Da Festa da Sagrada Família

P. Há também uma festa com que se honram juntamente a Virgem Santíssima, São José e Nosso Senhor Jesus Cristo?

R. Sim, há essa festa e é a da Sagrada Família, a qual se celebra no terceiro domingo depois da Epifania.

P. Por que instituiu a Igreja essa festa?

R. A Igreja instituiu a Festa da Sagrada Família por dois motivos principais:

1º. Para honrar juntamente a Jesus, Maria e José, que por muito tempo viveram juntos e muito fizeram por nossa salvação e pela glória de Deus;

2º. Para nos pôr diante dos olhos o modelo perfeito da família cristã, com o qual se devem conformar todas as famílias para conseguirem assim o fim que se propõe a Pia Associação da Sagrada Família.

P. Qual é o fim da Pia Associação da Sagrada Família?

R. O fim da Pia Associação da Sagrada Família é conseguir que as famílias cristãs se consagrem à Sagrada Família, a venerem e a imitem, honrando-a em sua imagem com uma oração cotidiana e modelem a sua vida pelos exemplos sublimes de virtudes que a Sagrada Família deu a todas as classes sociais e, particularmente, à classe operária.

P. Quem entra nessa Pia Associação contrai alguma nova obrigação grave?

R. Não, quem se alista na Pia Associação da Sagrada Família não assume nenhuma nova obrigação grave. Há, porém, algumas práticas que se recomendam com particular interesse:

1º. Que se conserve em casa uma imagem da Sagrada Família;

2º. Que diante dessa imagem os membros da família rezem juntos ao menos uma vez por dia;

3º. Que uma vez por ano se renove a consagração da própria família à Sagrada Família.

Mas estes mesmos exercícios são simplesmente recomendados, sem encargo algum de consciência. O que mais se deseja é que na família viva e se alimente o espírito cristão pela imitação da Sagrada Família e observância dos mandamentos de Deus.

P. Há alguma oração especial prescrita para se rezar em comum diante da imagem da Sagrada Família?

R. Não, não se prescreve oração alguma especial. Aconselha-se, porém, a reza cotidiana do terço do Rosário e, particularmente, a breve oração à Sagrada Família, aprovada pelo Sumo Pontífice Leão XIII.

Recomenda-se também a repetição frequente de todas ou de algumas das seguintes jaculatórias:

- Jesus, Maria e José, iluminai-nos, socorrei--nos, salvai-nos. Assim seja.

- Jesus, José e Maria, eu vos dou o meu coração e a minha alma.

- Jesus, José e Maria, assisti-me na última agonia.

- Jesus, José e Maria, morra eu em paz em vossa companhia.

P. Que se deve fazer para celebrar dignamente a Festa da Sagrada Família?

R. Para celebrar dignamente a Festa da Sagrada Família deve-se:

1º. Dar graças à Sagrada Família por tudo o que fez para nossa salvação;

2º. Receber com devoção os santos sacramentos;

3º. Alistar-se na Pia Associação e renovar a consagração da própria família, segundo a fórmula estabelecida;

4º. Procurar adquirir as virtudes próprias de uma família cristã, como: a solicitude pela instrução religiosa; a caridade recíproca, máxime entre cônjuges e irmãos; o cuidado constante dos pais em educar cristãmente seus filhos; o respeito e obediência dos filhos para com seus pais; a vigilância constante para afastar da família os maus livros e jornais e as relações perigosas etc.;

5º. Suplicar à Sagrada Família que proteja sempre a própria família, preservando-a da incredulidade, dos maus costumes e da discórdia.

Lição X
Das Festas dos Santos Apóstolos e, em particular, de São Pedro e São Paulo

P. Quem são os apóstolos?

R. A palavra *apóstolo* significa *enviado* e assim se chamaram os homens que, escolhidos por Jesus Cristo para testemunhas de sua pregação e dos seus milagres, foram por Ele enviados para anunciar o Santo Evangelho a todos os povos.

P. Qual foi o fruto da pregação dos apóstolos?

R. O fruto da pregação dos apóstolos foi a destruição da idolatria e a fundação da religião cristã.

P. De que meios usaram eles para trazer tantas nações ao grêmio da religião cristã?

R. Os apóstolos converteram as nações à fé cristã, com a graça de Deus, por meio da pregação da palavra divina, que eles confirmaram com estrondosos milagres, com assombrosa santidade, com constância invencível nos sofrimentos e com a própria morte.

P. Como foi transmitida até nós a doutrina por eles ensinada?

R. A doutrina ensinada pelos apóstolos foi transmitida até nós por meio da Igreja e dos Sagrados Pastores que sucederam aos apóstolos.

P. Por que se celebra com maior solenidade a Festa dos apóstolos São Pedro e São Paulo?

R. Celebra-se com maior solenidade a Festa dos apóstolos São Pedro e São Paulo porque eles são os príncipes dos apóstolos.

P. Por que São Pedro e São Paulo se chamam príncipes dos apóstolos?

R. Porque São Pedro foi escolhido por Jesus Cristo para chefe dos apóstolos e de toda a Igreja, e porque São Paulo estendeu a sua pregação e as suas solicitudes cotidianas a todas as igrejas (*2Cor 11,28*); pelo que ele se chama também o Apóstolo das Gentes.

P. Onde fixou São Pedro a sua sede?

R. São Pedro fixou a sua sede primeiramente em Antioquia, depois a transferiu para Roma, capital do Império Romano, e aí terminou com glorioso martírio as fadigas de seu longo e trabalhoso apostolado.

P. Que se deve concluir do fato de haver São Pedro fixado a sua sede aí até a sua morte?

R. Por ter São Pedro fixado sua sede em Roma e por tê-la conservado aí até a sua morte, deve-se concluir que o romano pontífice é legítimo sucessor de São Pedro e chefe de toda a Igreja, ao qual devemos prestar sincera obediência.

P. Quem era São Paulo antes de sua conversão?

R. São Paulo, antes de sua conversão, era um douto fariseu, grande perseguidor do nome de Jesus Cristo.

P. Como foi São Paulo chamado para o apostolado?

R. São Paulo foi chamado para o apostolado por um estrepitoso milagre de Jesus Cristo que, de perseguidor da Igreja, o mudou em zelosíssimo pregador do Evangelho.

P. Por que quis Jesus Cristo converter São Paulo com um milagre?

R. Jesus Cristo converteu São Paulo com um milagre para fazer conhecer nele o poder e eficácia da graça, que pode mudar os corações mais endurecidos em corações penitentes, e para tornar mais convincente o seu testemunho.

P. Por que se celebra no mesmo dia a festa destes dois apóstolos?

R. Porque, no mesmo dia, em Roma, sofreram o martírio. Sendo São Pedro crucificado e São Paulo decapitado.

P. Que devemos aprender de todos os apóstolos?

R. Dos apóstolos devemos aprender:

1º. A regular os atos da vida pelas máximas do Evangelho;

2º. A instruir na doutrina cristã com santo zelo os que não a conhecem;

3º. A sofrer de boa vontade alguma coisa por amor de Jesus Cristo.

P. Que devemos fazer nas festas dos apóstolos?

R. Nas festas dos apóstolos devemos:

1º. Agradecer a Deus por nos ter chamado à fé por meio dos apóstolos;

2º. Pedir-lhe a graça de nos conservar a fé ilibada, por intercessão deles;

3º. Suplicar-lhe que proteja a Santa Igreja contra seus inimigos, e lhe dê pastores que sejam dignos sucessores dos apóstolos.

Lição XI
Da Festa de Todos os Santos

P. Que festa se celebra no primeiro dia do mês de novembro?

R. No primeiro dia do mês de novembro celebra-se a Festa de Todos os Santos.

P. Por que instituiu a Igreja essa festa?

R. A Igreja instituiu a Festa de Todos os Santos:

1º. Para louvar e agradecer a Deus por haver santificado na terra os seus servos e por tê-los coroado de glória no céu;

2º. Para, nesse dia, honrar também aqueles santos, que durante o ano não têm nenhuma festa;

3º. Para conseguirmos maiores graças, aumentando o número dos intercessores;

4º. Para reparar nesse dia as faltas que tivermos cometido nas festas particulares dos santos;

5º. Para exercitar-nos sempre mais na virtude com os exemplos de tantos santos, de todas as idades, de todas as condições e de todos os sexos; e com a lembrança da recompensa que gozam no céu.

P. Como nos havemos de estimular à imitação dos santos?

R. Não nos estimularemos a imitar os santos, considerando que eles eram fracos como nós, sujeitos às mesmas paixões e tentações; que se santificaram com os mesmos meios que temos à nossa disposição e que nos é prometido o mesmo prêmio que eles agora gozam no céu.

P. Por que se celebra essa festa com grande solenidade?

R. Celebra-se a Festa de Todos os Santos com grande solenidade porque ela abrange todas as outras festas que durante o ano se celebram em honra dos santos e por ser ela a figura da festa eterna dos santos na companhia de Deus.

P. Que devemos, pois, fazer para celebrar dignamente a festa de Todos os Santos?

R. Para celebrar dignamente a Festa de Todos os Santos devemos:

1º. Louvar e glorificar o Senhor pelas graças feitas aos seus servos, e pedir-lhe nos queira também concedê-las;

2º. Honrar todos os santos como amigos de Deus e invocar com confiança sua proteção;

3º. Procurar imitar os exemplos deles para participarmos um dia da mesma glória.

Lição XII
Da comemoração dos fiéis defuntos

P. Por que depois da Festa de Todos os Santos faz a Igreja a Comemoração de todos os fiéis defuntos que estão no purgatório?

R. Depois da Festa de Todos os Santos faz-se a Comemoração dos fiéis defuntos que estão no purgatório porque é conveniente que a Igreja militante, depois de haver com uma festa especial honrado e invocado a Igreja triunfante, venha com sufrágios especiais e solenes em auxílio da Igreja padecente.

P. Como podemos aliviar aquelas almas?

R. Podemos aliviar as almas do purgatório com orações, esmolas, comunhões e outras boas obras, mas, principalmente, com a aplicação do santo sacrifício da missa.

P. Por quais almas, segundo o espírito da Igreja, devemos oferecer nesse dia nossos sufrágios?

R. Segundo o espírito da Igreja, devemos oferecer nesse dia nossos sufrágios não só pelas almas de nossos parentes, amigos e benfeitores, mas também por todas as outras que se acham no purgatório.

P. Que devemos fazer para corresponder às intenções da Igreja, quando instituiu o rito desse dia?

R. Para corresponder às intenções da Igreja nesse dia devemos:

1º. Pensar que nós também havemos de morrer e apresentar-nos ao tribunal de Deus para dar-lhe conta de toda a nossa vida;

2º. Conceder um grande horror ao pecado, considerando quão vigorosamente Deus o castigará na outra vida;

3º. Satisfazer nesta vida à justiça de Deus com obras de penitência.

Lição XIII
Da Festa dos Santos Protetores

P. Que santos chamamos de preferência nossos protetores?

R. Chamamos de preferência nossos protetores os santos cujos nomes nos foram dados no batismo; os santos patronos da Igreja universal, da nossa diocese, da nossa paróquia; os santos protetores do Estado, do lugar em que vivemos; os santos patronos das confrarias a que pertencemos ou das artes que professamos.

P. Como havemos de honrar os nossos santos protetores?

R. Havemos de honrar os nossos santos protetores celebrando com piedade e devoção suas festas, invocando-os nas nossas necessidades e imitando as suas virtudes.

P. Como celebraremos dignamente as festas dos nossos santos protetores?

R. Celebraremos dignamente as festas dos nossos santos protetores abstendo-nos de profanos divertimentos e praticando obras de piedade e de religião.

P. Quais são as obras de piedade que devemos de preferência praticar?

R. As obras de piedade que devemos de preferência praticar nas festas dos nossos santos protetores são duas:

1º Receber dignamente os sacramentos da confissão e da comunhão;

2º Assistir aos ofícios divinos.

P. Que devemos pensar dos que nas festas de seus santos protetores frequentam tavernas, bailes ou outros vãos divertimentos?

R. Os que nas festas de seus santos protetores frequentam tavernas, bailes ou outros vãos divertimentos, em vez de merecer a proteção dos Santos, expõem-se ao perigo de atrair sobre si os castigos de Deus.

Lição XIV
Da Festa da Dedicação da Igreja

P. Que é a Festa da Dedicação?

R. A *Dedicação* é uma festa instituída para comemorar a sagração de uma ou de todas as igrejas da diocese.

P. Que é a Dedicação das igrejas?

R. A *Dedicação* das igrejas é uma cerimônia ou rito soleníssimo, com o que o bispo consagra ao culto divino os edifícios, que chamamos igrejas, e, deste modo, os subtrai aos usos profanos, convertendo-os em casas de Deus e lugares de oração.

P. Por que a Dedicação das igrejas se faz com tanta solenidade?

R. A Dedicação das igrejas faz-se com tanta solenidade:

1º. Para inspirar nos fiéis o respeito devido aos lugares sagrados;

2º. Para lembrar-nos que pelo Batismo e Crisma nós também fomos consagrados a Deus e transformados em templos vivos do Espírito Santo e, por isso, devemos respeitar o Senhor que em nós habita, conservando nossa alma sem mancha de pecado e adornando-a de virtudes cristãs;

3º. Para alimentar a veneração e o amor pela Igreja Católica, formada pelos fiéis estreitamente unidos, como unidas estão as pedras dos templos materiais;

4º. Porque as igrejas são figura do céu, visto que nelas, diante de Jesus Cristo, nos unimos aos anjos e aos santos no concerto eterno de adoração e louvores a Deus.

P. Por que se renova todos os anos a comemoração da Dedicação da igreja?

R. Renova-se todos os anos a comemoração da Dedicação da igreja:

1º. Para agradecer a Deus o grande benefício de habitar em nossos templos, de aceitar nossas orações, de nos alimentar com sua palavra e com seus sacramentos;

2º. Para nos estimular a assistir com devoção e respeito à celebração dos divinos mistérios.

P. Que devemos fazer para celebrar esta festa segundo o espírito da Igreja?

R. Para celebrar a Festa da Dedicação, segundo o espírito da Igreja, devemos:

1º. Fazer propósito de ser assíduos à igreja, que é casa de oração, e permanecer nela devotamente, adorando a Deus em espírito e verdade;

2º. Pedir a Deus perdão das irreverências e das faltas que aí tivermos cometido;

3º. Considerar que somos templos de Deus e purificar-nos de todo o pecado com o firme propósito de nunca praticar ato algum indigno dos templos de Deus que somos.

P. Que convém fazer nos aniversários do Batismo e da Crisma, dias em que fomos consagrados ou dedicados a Deus?

R. Nos dias aniversários do Batismo e da Crisma convém:

1º. Renovar as promessas que fizemos no Batismo de crer em Deus e em Jesus Cristo e de praticar a sua lei sem respeito humano;

2º. Renunciar de novo aos pecados, às vaidades e às máximas corruptas do mundo;

3º. Adorar com fervor o Espírito Santo que em nós habita.

Lição XV
Das devoções

P. Que entendeis por devoções?

R. Devoções são certas práticas religiosas aprovadas pela Igreja e próprias para manter e fortificar a piedade.

P. Quais são as principais devoções mais em uso na Igreja e de mais proveito aos fiéis?

R. São as seguintes: visita e adoração ao Santíssimo Sacramento; a Via-Sacra; desagravo ao Coração de Jesus; o Rosário; a Coroa de Dores; os escapulários; os meses: de março, em honra de São José; de maio, em honra de Nossa Senhora; de junho, em honra do Sagrado Coração de Jesus; de outubro, mês do Rosário, prescrito pelo papa; de novembro, em benefício das benditas almas; e as novenas, como a do Espírito Santo, que é obrigatória em todas as matrizes e catedrais do universo, a da Conceição e outras.

I

P. Para que se fazem as visitas e adoração ao Santíssimo Sacramento, quer encerrado no sacrário, quer exposto solenemente?

R. Para agradecer a Deus o inefável benefício do Santíssimo Sacramento, expor-lhe nossas necessidades e pedir-lhe as graças e bênçãos de que precisamos e desagravar sua divina majestade das injúrias e profanações, principalmente no tempo do Carnaval, e impetrar a conversão dos cristãos extraviados e perdidos.

II

P. Que é a devoção da Via-Sacra?

R. A devoção da Via-Sacra é um exercício de piedade para honrar o caminho doloroso que Jesus Cristo percorreu desde a casa de Pilatos até o Calvário.

P. Em que consiste a devoção da Via-Sacra?

R. A devoção da Via-Sacra, uma das mais recomendadas pela Igreja, das mais ricas em indulgências, consiste em fazer 14 estações junto de 14 cruzes, com alguma distância umas das outras, meditando os passos da paixão e morte de Jesus Cristo.

III

P. Que é a devoção do Rosário?

R. A devoção do Rosário, instituída por São Domingos, consiste em rezar 15 Pai-nossos e 15 vezes 10 Ave-Marias em honra dos passos, da infância, paixão e ressurreição de Nosso Senhor Jesus Cristo, das dores, das alegrias e glórias de Maria Santíssima[7].

---

7. Nota do editor: Aos 16 de maio de 2002, o Papa João Paulo II acrescentou os mistérios luminosos ao Santo Rosário, que passou a ter mais 5 vezes 10 Ave-Marias.

P. Como se divide o Rosário?

R. O Rosário após 2002[8] se divide em quatro terços, e cada terço consta de 5 mistérios ou dezenas; isto é, 5 Pai-nossos e 10 Ave-Marias, que se rematam com 1 Glória-ao-Pai.

P. Quais são os 20 mistérios que se contemplam no Rosário?

R. No primeiro terço contemplam-se os 5 mistérios gozosos, a saber:

1º. A encarnação do Verbo Divino;

2º. A visitação de Nossa Senhora a Santa Isabel;

3º. O nascimento de Nosso Senhor Jesus Cristo;

4º. A apresentação do Menino Jesus no templo;

5º. O encontro do Menino Jesus no templo, no meio dos doutores.

No segundo terço contemplam-se os 5 mistérios luminosos, a saber:

1º. O batismo de Jesus no Rio Jordão;

2º. A autorrevelação de Jesus nas Bodas de Caná;

3º. O anúncio do Reino de Deus;

4º. A transfiguração de Jesus;

5º. A instituição da Eucaristia.

No terceiro terço contemplam-se os 5 mistérios dolorosos, a saber:

1º. A agonia de Nosso Senhor Jesus Cristo no horto;

2º. A flagelação de Nosso Senhor Jesus Cristo;

3º. A coroação de espinhos de Nosso Senhor Jesus Cristo;

---

8. Cf. nota 7.

4º. Nosso Senhor Jesus Cristo levando a cruz às costas;

5º. A crucifixão e morte de Nosso Senhor Jesus Cristo.

No quarto terço contemplam-se os 5 mistérios gloriosos, a saber:

1º. A ressurreição de Nosso Senhor Jesus Cristo;

2º. A ascensão de Nosso Senhor Jesus Cristo;

3º. A descida do Espírito Santo sobre os apóstolos;

4º. A assunção de Nossa Senhora ao céu;

5º. A coroação de Nossa Senhora no céu.

IV

P. Em que consiste a devoção do mês de Maria?

R. A devoção do mês de Maria consiste em santificar o mês de maio em honra de Maria Santíssima, fazendo-se cada dia certos exercícios de piedade diante de uma imagem de Nossa Senhora.

V

P. Que são os escapulários?

R. Os escapulários são certos hábitos ou vestes reduzidas de pano, que se trazem em honra de algum mistério ou de algum santo.

P. Têm os escapulários alguma forma particular?

R. Os escapulários devem ser de fazenda de cor determinada, bentos por sacerdotes autorizados e trazidos aos ombros, pendendo uma parte ao peito, outra sobre as costas.

P. São muitos os escapulários aprovados pela Igreja?

R. Sim, são muitos. Os principais são: o do Carmo, que é o mais antigo; o das Dores, Mercês, Santíssima Trindade, Conceição, Sagrado Coração de Jesus, São José.

P. Que coisa mais devemos notar nos escapulários?

R. Devemos notar que todos devem ser bentos e impostos por sacerdote autorizado; que em muitos deles não se requer imagem pintada, nem bordada; que basta ser bento só o primeiro com que fomos admitidos, dispensando-se a bênção nos seguintes; que se devem trazer sobre a pele ou sobre a camisa, de dia e de noite.

P. Que vantagem têm os escapulários?

R. Os escapulários têm a vantagem de nos pôr mais eficazmente debaixo da proteção de Deus e dos seus santos; de nos despertarem a mais frequente lembrança de seus benefícios e virtudes; e de muitas indulgências com que todos, ou quase todos, têm sido enriquecidos pelos sumos pontífices.

P. Quais são os privilégios especiais prometidos ao escapulário do Carmo?

R. Os irmãos que trazem o escapulário do Carmo gozam de dois preciosíssimos privilégios, sendo o primeiro o de serem preservados do inferno, se o trouxerem devotamente durante a vida e com ele morrerem piamente; o segundo é o de saírem do purgatório, livres por Maria Santíssima, logo no primeiro sábado depois da morte, observadas certas condições.

P. Que condições se exigem para tornar efetivo tão grande privilégio?

R. Para gozar do privilégio de ser livre do purgatório no primeiro sábado depois da morte é necessário:

1º. Guardar cada um a castidade segundo o seu estado;

2º. Rezar todos os dias o ofício canônico ou o ofício pequeno de Nossa Senhora;

3º. Os que não sabem ler devem observar fielmente os jejuns da Igreja e não comer carne nas quartas-feiras, sextas-feiras e sábados. Mas tanto a reza do ofício como a abstinência podem ser comutadas por quem tiver faculdade em outras obras de piedade.

VI

P. Não há devoções que se prolongam muitos dias do ano?

R. Sim, as devoções que mais se prolongam são as que consistem em consagrar um mês inteiro a algum mistério ou santo.

P. Que vantagens tem a devoção de consagrar-se um mês inteiro a algum mistério ou santo?

R. Tem a vantagem de melhor conhecermos o mistério ou as virtudes e poder dos santos; de firmarmo-nos no sentimento de gratidão e de confiança e de merecermos mais eficaz proteção de Deus e de seus santos, além de muitas indulgências com que alguns meses são enriquecidos pelos sumos pontífices.

P. Quais são os principais meses que os fiéis costumam celebrar no ano?

R. A prática mais antiga de um mês é a do mês de maio, consagrado ao culto da Virgem Maria, como atrás se viu. Segue-se imediatamente o mês de junho, consagrado a honrar e desagravar a Nosso Senhor Jesus Cristo pelo culto tributado ao seu coração adorável. O mês de março é consagrado a São José, esposo de Maria.

O mês de outubro é consagrado à Senhora do Rosário com exercícios determinados pelo Santo Padre Leão XIII e obrigatórios em todas as catedrais, matrizes e igrejas consagradas a Maria Santíssima. A piedade dos fiéis consagra o mês de novembro ao alívio e consolação das benditas almas do purgatório.

Apêndice

Orações cotidianas

Os pais as ensinem aos seus filhinhos. Os mestres e mestras aos seus alunos e alunas.

Oração para a manhã[9]

Pelo sinal † da santa cruz, livrai-nos Deus † Nosso Senhor dos nossos † inimigos.

Em nome do Pai e do Filho † e do Espírito Santo. Amém.

Meu Deus, creio que estais aqui presente; adoro-vos e vos amo de todo o meu coração; dou-vos infinitas graças por me haverdes criado e feito nascer no grêmio da Igreja Católica; por me haverdes conservado nesta noite (ou neste dia) e preservado de uma morte repentina. Em união com os merecimentos de Jesus Cristo, de sua Mãe Santíssima e de todos os santos, vos ofereço todos os meus pensamentos, palavras e obras, para vossa maior glória, em ação de graças por todos os benefícios que de Vós tenho recebido e em satisfação de meus pecados. Dignai-vos, Senhor, de preservar-me neste

---

9. Fazei intenção de ganhar todas as indulgências que vos forem concedidas neste dia. Para ganhar as indulgências anexas às orações é condição fazê-las com o coração contrito. Para a plenária é preciso a confissão, a comunhão e fazer alguma oração pelas intenções do sumo pontífice, p. ex.: 5 Pai-nossos, 5 Ave-Marias e 5 Glória-ao-Pai.

dia (ou nesta noite) do pecado e livrai-me de todo o mal. Amém.

Pai nosso, que estais no céu, santificado seja o vosso nome; venha a nós o vosso reino; seja feita a vossa vontade, assim na terra como no céu. O pão nosso de cada dia nos dai hoje; e perdoai as nossas dívidas, assim como nós perdoamos aos nossos devedores; e não nos deixeis cair em tentação; mas livrai-nos do mal. Amém.

Ave Maria, cheia de graça, o Senhor é convosco, bendita sois vós entre as mulheres e bendito é o fruto do vosso ventre, Jesus. Santa Maria, Mãe de Deus, rogai por nós, pecadores, agora e na hora da nossa morte. Amém.

Creio em Deus Pai todo-poderoso, criador do céu e da terra. E em Jesus Cristo, um só seu Filho, Nosso Senhor, o qual foi concebido do Espírito Santo, nasceu de Maria Virgem; padeceu sob o poder de Pôncio Pilatos, foi crucificado, morto e sepultado; desceu aos infernos, ao terceiro dia ressurgiu dos mortos; subiu aos céus, está sentado à mão direita de Deus Pai todo-poderoso; de onde há de vir a julgar os vivos e os mortos; creio no Espírito Santo; na Santa Igreja Católica, na comunhão dos santos; na remissão dos pecados; na ressurreição da carne; na vida eterna. Amém.

Ato de fé

Eu creio firmemente que há um só Deus em três pessoas realmente distintas, Pai, Filho e Espírito Santo; que dá o céu aos bons e o inferno aos maus para sempre. Creio que o Filho de Deus se fez homem, padeceu e morreu na cruz para nos salvar, e que ao terceiro dia ressuscitou. Creio tudo o mais que crê e ensina a Santa Igreja Católica Apostólica Romana: porque Deus, verdade infalível, revelou-lhe. E nesta crença quero viver e morrer.

Ato de esperança

Eu espero, meu Deus, com firme confiança, que pelos merecimentos de meu Senhor Jesus Cristo me dareis a salvação eterna e as graças necessárias para alcançá-la; porque Vós, sumamente bom e poderoso, o haveis prometido a quem observar fielmente os vossos mandamentos, como eu proponho fazer com vosso auxílio.

Ato de caridade

Eu vos amo, meu Deus, de todo o meu coração e sobre todas as coisas; porque sois infinitamente bom e amável; e antes quero perder tudo que vos ofender. Por amor de Vós amo ao próximo como a mim mesmo.

Ato de contrição

Senhor meu Jesus Cristo, Deus e Homem verdadeiro, Criador e Redentor meu, por serdes Vós quem sois, sumamente bom e digno de ser amado sobre todas as coisas; e porque eu vos amo e estimo, pesa-me, Senhor, de todo o meu coração de vos ter ofendido, pesa-me também por ter perdido o céu e merecido o inferno; e proponho firmemente, ajudado com os auxílios de vossa divina graça, emendar-me e nunca mais vos tornar a ofender, e espero alcançar o perdão de minhas culpas pela vossa infinita misericórdia. Amém.

Os mandamentos da lei de Deus são 10:

1º. Amar a Deus sobre todas as coisas;

2º. Não tomar o seu santo nome em vão;

3º. Guardar os domingos e festas;

4º. Honrar pai e mãe;

5º. Não matar;

6º. Não pecar contra a castidade;

7º. Não furtar;

8º. Não levantar falso testemunho;

9º. Não desejar a mulher do próximo;

10º. Não cobiçar as coisas alheias.

Os mandamentos da Igreja são 5:

1º. Ouvir missa inteira nos domingos e festas de guarda;

2º. Confessar-se ao menos uma vez cada ano;

3º. Comungar ao menos pela Páscoa da ressurreição;

4º. Jejuar e abster-se de carne, quando manda a Santa Madre Igreja;

5º. Pagar dízimos, segundo o costume.

Consagração a Maria Santíssima
(para rezar todos os dias de manhã
e de noite de joelhos)

Ave Maria etc.

Ó minha Senhora e minha Mãe! Eu me ofereço todo a vós, e, em prova de minha devoção para convosco, vos consagro neste dia os meus olhos, os meus ouvidos, a minha boca, o meu coração e inteiramente todo o meu ser. E porque sou vosso, ó incomparável Mãe, guardai-me, defendei-me como coisa e propriedade vossa.

(100 dias de ind. uma vez ao dia, para quem a rezar de manhã e à noite; plenária, no fim do mês).

Salve, Rainha, Mãe de misericórdia, vida, doçura e esperança nossa, salve! A vós bradamos os degradados filhos de Eva; a vós suspiramos, gemendo e chorando neste vale de lágrimas.

Eia, pois, advogada nossa, esses vossos olhos misericordiosos a nós volvei; e depois deste desterro mostrai-nos Jesus, bendito fruto do vosso ventre, ó clemente, ó piedosa, ó doce sempre Virgem Maria. Rogai por nós, Santa Mãe de Deus, para que sejamos dignos das promessas de Cristo.

Anjo de Deus, que sois a minha guarda, e a quem fui confiado por celestial piedade, inspirai-me, neste dia, iluminai-me, protegei-me, guiai-me e governai-me. Amém.

Glória ao Pai e ao Filho e ao Espírito Santo. Assim como era no princípio e agora e sempre e por todos os séculos dos séculos. Amém.

Oração pelas almas do purgatório

Deus de bondade e de misericórdia, tende piedade das benditas almas dos fiéis que estão sofrendo no purgatório; abreviai as suas penas, dai-lhes o descanso eterno e fazei nascer para elas a perpétua luz. Amém. *Pai-nosso, Ave-Maria, Glória-ao-Pai.*

Oração pelos defuntos
(Salmo *De profundis*)

– Dos profundos abismos clamei a Vós, meu Senhor; Senhor, ouvi a minha voz.

– Dai ouvidos atentos à voz da minha súplica.

– Se Vós, Senhor, atenderdes às iniquidades; Senhor, quem poderá subsistir na vossa presença?

– Porém eu, Senhor, esperei em Vós, por causa da vossa lei e porque em Vós tudo é clemência.

– Esperou a minha alma no Senhor, susteve-se a minha alma na sua palavra.

– Espere, assim, todo o Israel no Senhor, desde a aurora até a noite.

– Porque o Senhor é cheio de misericórdia e nele se encontra uma copiosa redenção.

– E Ele mesmo há de remir a Israel de todas as suas iniquidades.

℣. Dai-lhes, Senhor, o eterno descanso.

℟. E a luz perpétua os alumie.

Descansem em paz. Amém.

(*50 dias de ind. três vezes ao dia*).

℣. Senhor, ouvi a minha oração.

℟. E chegue a Vós o meu clamor.

Oremos

Ó Deus, que sois Criador e Redentor de todos os fiéis, dignai-vos de conceder às almas dos vossos servos a remissão de seus pecados, a fim de que por nossas pias súplicas alcancem o perdão por que têm sempre suspirado. Vós que viveis e reinais pelos séculos dos séculos. Amém.

O Anjo do Senhor

℣. O Anjo do Senhor anunciou a Maria;

℟. E ela concebeu do Espírito Santo.

Ave-Maria etc.

℣. Eis aqui a escrava do Senhor;

℟. Faça-se em mim segundo a vossa palavra.

Ave-Maria etc.

℣. E o Verbo Divino se fez homem;

℟. E habitou entre nós.

Ave-Maria etc.

℣. Rogai por nós, Santa Mãe de Deus.

℟. Para que sejamos dignos das promessas de Cristo.

Oremos

Infundi, Senhor, em nossos corações a vossa graça, vos suplicamos, a fim de que, conhecendo pela embaixada do anjo a encarnação de Jesus Cristo, vosso Filho, pelos merecimentos de sua paixão e morte chegamos à glória da ressurreição. Pelo mesmo Cristo, Senhor nosso. Amém.

– *Para se ganharem as indulgências rezem-se estes versículos de joelhos; exceto nos sábados à tarde e nos domingos por todo o dia, em que se rezam de pé.*

No tempo pascal, a começar das vésperas do Sábado de Aleluia até o Sábado da Trindade, em lugar dos versículos acima, rezem-se, sempre em pé, os versículos seguintes:

℣. Rainha do céu, alegrai-vos, Aleluia.

℟. Porque o que merecestes trazer em vosso puríssimo seio, Aleluia.

℣. Ressuscitou como disse, Aleluia.

℟. Rogai a Deus por nós, Aleluia.

℣. Exultai e alegrai-vos, ó Virgem Maria, Aleluia.

℟. Porque o Senhor ressuscitou verdadeiramente, Aleluia.

Oremos

Ó Deus, que vos dignastes alegrar o mundo com a ressurreição do vosso Filho e Senhor nosso Jesus Cristo, concedei-nos, vos suplicamos, que por sua Mãe, a Virgem Maria, alcancemos os prazeres da vida eterna. Pelo mesmo Senhor Jesus Cristo. Amém.

Oração para a noite

Pelo sinal † da santa cruz, livrai-nos Deus † Nosso Senhor, dos nossos † inimigos.

Em nome do Pai e do Filho † e do Espírito Santo. Amém.

Meu Deus, creio que estais aqui presente etc., *com todas as outras orações como pela manhã.*

Preparação para a confissão

Antes do exame de consciência

Meu Deus e Senhor, preparo-me para receber o Santo Sacramento da Penitência. Alumiai o meu espírito, a fim de que eu conheça claramente o número e a gravidade de meus pecados, me arrependa deles e os confesse ao vosso ministro com verdadeira dor e firme propósito de nunca mais vos tornar a ofender. Amém.

Exame de consciência

1º. Pecados contra Deus

Por pensamentos – Dúvidas na fé, desconfiança da misericórdia de Deus.

Por palavras – Blasfêmias, palavras ou conversas contra as verdades da fé, da religião e seus ministros; juramentos falsos; aplaudir ditos ímpios; queixar-se de Deus e de sua providência.

Por obras – Leitura de livros ímpios ou jornais que falam contra a religião; assistir a reuniões espiritistas; faltar ao preceito de ouvir missa; irreverências na igreja.

2º. Pecados contra o próximo

Por pensamentos – Juízos temerários, desejar-lhe mal; ter-lhe ódio, inveja, ira, desejar vingar-se.

Por palavras – Censuras, murmurações, levantar falso, injúrias.

Por obras – Causar-lhe prejuízos injustamente, furto, fraude.

3º. Pecados contra si próprio

Por pensamentos – Orgulhosos, desonestos.

Por palavras – Mentiras, pragas, palavras, conversações e cantigas desonestas.

Por obras – Violação da lei do jejum e da abstinência, descuido dos deveres do próprio estado; leituras, vistas, toques, ações desonestas.

Nota. *Com relação aos pecados mortais, é necessário quanto possível referir o número.*

Depois deste exame, feito com cuidado e recolhimento, medita por alguns momentos em que perigo está quem cometeu um pecado mortal; pode cair no inferno, lugar de eternos sofrimentos, separado eternamente de Deus, sem esperança de salvação.

Pensa em Jesus sobre a cruz, coberto de chagas, abandonado de todos na sua agonia, tudo isto por causa do pecado mortal! Reflete na misericórdia de Deus, que espera o pecador e o acolhe com carinho quando se converte; depois dize com profundo sentimento de humildade, de confusão e de dor, o seguinte:

ATO DE CONTRIÇÃO

Eis aqui, ó meu Deus, o vosso filho pródigo, que volta contrito ao vosso seio paternal!

Que motivos de confusão para mim, misericordioso Senhor e amoroso Pai, ter-vos tantas vezes ofendido, depois de vos ter tantas vezes prometido emendar-me! Como me atrevi a pecar na vossa presença, conhecendo quanto o pecado vos desagrada! Oh! Meu Deus, meu Pai, de todos os pais o melhor e o mais paciente, perdoai-me, e não me castigueis segundo o rigor de vossa justiça: tende piedade de mim, que já não sou digno de ser chamado vosso filho, e aceitai os anseios de um coração pesaroso de vos ter ofendido e disposto a amar-vos para sempre. Detesto, Senhor, todos os meus pecados, que são muitos e graves; porque com eles mereci as penas do inferno e ofendi vossa divina majestade, vossa santidade e vossa bondade infinitas. Amo-vos sobre todas as coisas, meu Deus, meu Pai, meu Salvador, e por amor de vós quero antes morrer do que tornar a ofender-vos.

DEPOIS DA CONFISSÃO

Quão suave sois, Senhor, para os que vos procuram! Quão grande é o vosso amor e bondade! Confio que pelos merecimentos infinitos de vosso preciosíssimo sangue já perdoastes os meus pecados. Posso contar-me entre os vossos filhos!

Ó dia feliz da minha vida, ó momento afortunado! Não me permitas, Pai de misericórdia, que eu me esqueça jamais deste inefável benefício. Proponho firmemente evitar o pecado para nunca mais perder a vossa graça; abençoai, Senhor, este meu propósito e fortalecei-me para que nunca mais torne a cair. Ó Maria, minha Mãe, rogai por mim e amparai-me. Santos e anjos do céu, intercedei por mim. Amém.

(*Depois desta oração, cumpre a penitência dada pelo confessor.*)

JACULATÓRIAS

– Doce coração de Maria, sede minha salvação (*300 dias de ind. cada vez; plenária no fim do mês. Pio IX. 30 de setembro de 1852*).

– Bendita seja a santa, imaculada e puríssima Conceição da bem-aventurada Virgem Maria, Mãe de Deus (*300 dias, cada vez; Leão XIII. 5 de setembro de 1878*).

– Ó Maria, concebida sem pecado, rogai por nós que recorremos a vós (*100 dias uma vez ao dia. Leão XIII. 15 de março de 1884*).

Preparação para a comunhão

(Do livro IV da Imitação de Cristo)

Vinde, dizeis, ó meu Jesus, vinde a mim todos que sofreis e que estais oprimidos e eu vos aliviarei.

Quão doces e amáveis são aos ouvidos do pecador estas palavras, pelas quais Vós, Deus e Senhor meu, convidais ao pobre e mendigo à comunhão de vosso santíssimo corpo.

Mas quem sou eu, Senhor, para ousar chegar-me a Vós? Como vos hospedarei em minha morada, eu que tantas vezes ofendi vossa augustíssima presença? Os anjos e arcanjos vos adoram tremendo; os santos e justos penetram-se de temor e Vós dizeis: "Vinde todos a mim!" (*Cap. I*).

Senhor, confiado em vossa bondade e misericórdia infinita, venho a Vós como enfermo ao médico; como faminto e sequioso à fonte da vida; como pobre ao rei do céu; como escravo do Senhor e soberano; como criatura ao meu Criador; como aflito ao meu piedoso consolador.

Louvores vos dou, meu Deus, e desejo que para sempre sejais louvado. Humilho-me e confundo-me diante de Vós no abismo de minha vileza.

Vós sois o Santo dos santos, e eu o último dos pecadores. Inclinai-vos para mim, que não sou digno de levantar os olhos para Vós (*Cap. II*).

Senhor, com singeleza de coração, com fé viva e sincera e por mandado vosso me aproximo de Vós, cheio de confiança e respeito; e creio verdadeiramente que estais presente neste sacramento como Deus e como Homem. Suplico à vossa clemência e vos peço neste momento uma graça particular, para que, abrasada minha alma de vosso amor, em Vós se funda sem mais cuidar de consolação alguma a Vós estranha (*Cap. IV*).

Ó meu Deus, amor eterno, todo o bem meu, bem-aventurança que não acaba jamais! Desejo receber-vos com tão ardente fervor e com tão digna reverência como nunca teve nem pôde experimentar um só dos vossos santos (*Cap. XVII*).

DEPOIS DA COMUNHÃO

(Imitação de Cristo L. IV, cap. XVII)

Ó dulcíssimo e muito amado Senhor! Bem sabeis minha fraqueza e minhas precisões, quantos males e vícios me oprimem, quantas são minhas mágoas e tentações, pesares e faltas! Aqui venho buscar o remédio, implorando-vos alívio e consolação. A Vós me dirijo, que tudo sabeis, e para Vós não tem segredo meu coração. Só Vós me podeis valer e consolar-me perfeitamente. Vós sabeis de que bens mais falta sinto, e quão pobre sou em virtudes.

Aqui estou diante de Vós, pobre e desvalido, rogo-vos mercê e imploro vossa misericórdia.

Dai de comer a este faminto mendigo vosso, aquecei-me o frio com o fogo de vosso amor, iluminai-me as trevas com o clarão de vossa luz infinita. Concedei-me aborrecimento de tudo o que é terreno, paciência em todas as penas e contrariedades, desprezo e olvido de todas as coisas criadas e caducas. Erguei o meu coração para Vós, e não me deixeis vaguear pelas criaturas sobre a terra. Fazei que desde hoje para sempre só em Vós encontre doçura; sede Vós somente o meu alimento e bebida, meu amor e alegria, minhas delícias e meu soberano bem. Não me deixeis, Senhor, apartar de Vós com fome e sequioso, antes usai comigo de misericórdia, como tantas vezes maravilhosamente usastes com vossos santos.

Oração para se rezar diante
da imagem de Jesus crucificado

Eis-me prostrado em vossa presença, amado e dulcíssimo Jesus, para pedir-vos com o mais intenso ardor, e instantemente suplicar-vos que vos digneis de imprimir em meu coração sentimentos vívidos de fé, de esperança e de caridade, e uma verdadeira dor de meus pecados, acompanhada do propósito firme de nunca mais vos tornar a ofender; enquanto com transportes de entranhado afeto e com grande dor de minha alma, vou comigo mesmo considerando e meditando, uma a uma, as vossas 5 chagas, tendo presente ao espírito o que já de Vós, meu bom Jesus, disse o santo Profeta Davi: "Traspassaram-me as mãos e os pés: contaram todos os meus ossos" (Sl 21,17-18).

(*Ind. plen. para os que tendo se confessado e comungado rezarem segundo a intenção do sumo pontífice 3 Pai-nossos, por exemplo*).

> Alma de Cristo, santificai-me.
> Corpo de Cristo, salvai-me.
> Sangue de Cristo, inebriai-me.
> Água do lado de Cristo, purificai-me.
> Paixão de Cristo, confortai-me.
> Ó bom Jesus, escutai-me.
> Dentro das vossas chagas, escondei-me.
> Não permitais que de Vós me aparte.
> Na hora da morte chamai-me.
> E mandai-me ir para Vós.
> Para que com os vossos santos vos louve
> Por todos os séculos dos séculos. Amém.

(*Ind. 300 dias, cada vez; sete anos, depois da comunhão; plenária, no fim do mês. Pio IX, 9 de janeiro de 1854.*)

Orações diversas e exercícios piedosos

Oração a São José

A vós, ó bem-aventurado São José, recorremos em nossa tribulação e implorando o auxílio da vossa santíssima esposa, cheio de confiança solicitamos também o vosso patrocínio. Nós vos pedimos, pela caridade que vos ligou à Virgem Mãe de Deus, e pelo amor paternal com que estreitastes em vossos braços o Menino Jesus, que lanceis um olhar benigno para a herança que Jesus Cristo adquiriu com o seu sangue e nos socorrais nas nossas necessidades com vosso poder e auxílio.

Amparai, ó guarda providentíssimo da Divina Família, a eleita prole de Jesus Cristo; afastai para longe de nós, ó pai amantíssimo, todo o contágio dos erros e vícios que empestam o mundo; assisti-nos do alto do céu, ó nosso fortíssimo protetor, na presente luta, que sustentamos contra o poder das trevas; e assim como outrora livrastes do perigo de morte iminente a vida de Jesus Menino, assim defendei agora a Santa Igreja de Deus das ciladas de seus encarniçados inimigos e de toda a adversidade. Amparai a cada um de nós com vosso perpétuo patrocínio, para que a exemplo vosso e coadjuvados com vosso auxílio possamos viver santamente, piedosamente morrer e alcançar no céu a eterna bem-aventurança. Amém.

ORAÇÃO
Para ser rezada todos os dias diante da imagem da Sagrada Família

Amantíssimo Jesus, que consagrastes a Família, que na terra vos dignastes escolher, com vossas inefáveis virtudes e com os exemplos da vida doméstica, dignai-vos de lançar olhos de clemência para esta nossa família que a vossos pés implora vossa piedade. Lembrai-vos que esta família é vossa, já que a Vós, por particular culto, se consagrou e dedicou. Defendei-a com benignidade, livrai-a dos perigos, acudi-lhe nas necessidades, e dai-lhe virtude com que sempre persevere na imitação de vossa santa família, a fim de que, permanecendo fiel em vosso serviço e amor durante o curso de sua mortal peregrinação, no céu vos possa render eternos louvores. Ó Maria, Mãe dulcíssima, vossa proteção imploramos com plena confiança de que a vossos rogos nada recusará vosso Unigênito Filho.

E vós também, ó glorioso patriarca São José, acudi-nos com o vosso poderoso patrocínio e nas mãos de Maria depositai nossos votos, para que os apresente a Jesus Cristo. Amém.

(300 dias de ind.).

– Jesus, José e Maria, vos dou meu coração e minha alma.

– Jesus, José e Maria, assisti-me na última agonia.

– Jesus, José e Maria, morra eu em paz em vossa companhia (*300 dias de ind.*).

– Jesus, Maria, José, alumiai-nos, socorrei-nos, salvai-nos (*200 dias de ind. uma vez ao dia*).

ATO DE CONSAGRAÇÃO

Que hão de recitar as famílias que se consagraram à Sagrada Família

Jesus, Redentor nosso, amabilíssimo, que mandado do céu para serdes a luz do mundo com a doutrina e exemplo, quisestes passar a maior parte de vossa vida mortal, na casa de Nazaré, humilde e sujeito a Maria e José, e consagrastes essa família, que havia de ser o exemplar de todas as famílias cristãs, aceitai com benignidade esta nossa família que hoje toda a Vós se consagra. Protegei-a, guardai-a e nela, com a paz e concórdia da caridade cristã, confirmai o vosso santo temor, para que se torne semelhante ao divino modelo de vossa família, e todos os que a compõem, sem faltar um só, consigam a bem-aventurança eterna.

Maria, Mãe amantíssima de Jesus, e nossa Mãe, alcançai-nos por vossa piedade e clemência que Jesus aceite esta nossa consagração e sobre nós derrame suas graças e bênçãos.

José, guarda santíssimo de Jesus e de Maria, assisti-nos com vossa intercessão em todas as necessidades da alma e do corpo, a fim de que em companhia vossa e da bem-aventurada Virgem Maria logremos tributar eternas graças e louvores a nosso divino Redentor Cristo Jesus. Amém.

N.B. – *Convém se renove este ato de consagração ao menos uma vez por mês.*

MODO DE REZAR O ROSÁRIO

℣. *Dignare me laudare te, Virgo Sacrata,*
℟. Da mihi virtutem contra hostes tuos.
℣. *Domine, labia mea aperies.*
℟. Et os meum annuntiabit laudem tuam.
℣. *Deus in adjutorium meum intende.*
℟. Domine ad adjuvandum me festina.
℣. *Gloria Patri et Filio et Spiritu Sancto.*
℟. Sicut erat in principio et nunc et semper et in saecula saeculorum. Amen.

OFERECIMENTO DO TERÇO[10]

Divino Jesus, eu vos ofereço este terço que vou rezar contemplando os mistérios de nossa redenção. Concedei-me pela intercessão de Maria, vossa Mãe Santíssima, a quem me dirijo, as virtudes que me são necessárias para o rezar bem e a graça de ganhar as indulgências anexas a esta santa devoção.

---

10. Nota do editor: O Papa São João Paulo II inseriu também os mistérios luminosos no santo rosário. Neste livro, mantivemos apenas o que constava do texto original.

Primeiro terço
Segundas e quintas-feiras e domingos do Advento

Mistérios gozosos

Primeiro mistério
Neste primeiro mistério contemplamos como a Virgem Maria foi saudada pelo Anjo, e lhe foi dito que havia de conceber e dar à luz a Cristo, nosso Redentor. *Pai-nosso, 10 Ave-Marias, Glória-ao-Pai.*

Segundo mistério
No segundo mistério contemplamos como a Virgem Maria visitou sua prima Isabel e ficou com ela três meses. *Pai-nosso, 10 Ave-Marias, Glória-ao-Pai.*

Terceiro mistério
No terceiro mistério contemplamos como a Virgem Maria, chegando o tempo de seu puríssimo parto, deu à luz a Jesus Cristo, em Belém, e o reclinou num presépio, por não achar lugar na estalagem da cidade. *Pai-nosso, 10 Ave-Marias, Glória-ao-Pai.*

Quarto mistério
No quarto mistério contemplamos como a Virgem Maria, no dia de sua purificação, apresentou no templo seu filho, ao qual louvou e deu muitas graças o santo velho Simeão, tomando-o em seus braços. *Pai-nosso, 10 Ave-Marias, Glória-ao-Pai.*

Quinto mistério

No quinto mistério contemplamos como a Virgem Maria, tendo perdido a seu filho que, sem ela o saber, ficara em Jerusalém, o encontrou ao terceiro dia, no templo entre os doutores, disputando com eles. *Pai-nosso, 10 Ave-Marias, Glória-ao-Pai.*

Segundo terço
Terças e sextas-feiras e domingos da Quaresma

Mistérios dolorosos

Primeiro mistério

No primeiro mistério contemplamos como Nosso Senhor Jesus Cristo, no horto, orou e suou sangue em tanta quantidade que chegou a correr por terra. *Pai-nosso, 10 Ave-Marias, Glória-ao-Pai.*

Segundo mistério

No segundo mistério contemplamos como Nosso Senhor Jesus Cristo foi cruelmente açoitado em casa de Pilatos. *Pai-nosso, 10 Ave-Marias, Glória-ao-Pai.*

Terceiro mistério

No terceiro mistério contemplamos como Nosso Senhor Jesus Cristo foi coroado de agudos espinhos por seus algozes. *Pai-nosso, 10 Ave-Marias, Glória-ao-Pai.*

Quarto mistério

No quarto mistério contemplamos como Nosso Senhor Jesus Cristo, sendo condenado à morte, para maior tormento levou com grande paciência a cruz que lhe puseram aos ombros. *Pai-nosso, 10 Ave-Marias, Glória-ao-Pai.*

Quinto mistério

No quinto mistério comtemplamos como Nosso Senhor Jesus Cristo, chegando ao Monte Calvário, foi despido e cravado na cruz com duros pregos, à vista de sua aflita Mãe. *Pai-nosso, 10 Ave-Marias, Glória-ao-Pai.*

Terceiro terço
Quartas-feiras, sábados e domingos de Páscoa

Mistérios gloriosos

Primeiro mistério

No primeiro mistério contemplamos como Nosso Senhor Jesus Cristo, triunfando da morte e dos tormentos, ressuscitou ao terceiro dia, imortal e impassível. *Pai-nosso, 10 Ave-Marias, Glória-ao-Pai.*

Segundo mistério

No segundo mistério contemplamos como Nosso Senhor Jesus Cristo, 40 dias depois de sua ressurreição, subiu ao céu à vista de sua Mãe Santíssima e dos apóstolos, com grande admiração de todos. *Pai-nosso, 10 Ave-Marias, Glória-ao-Pai.*

Terceiro mistério

No terceiro mistério contemplamos como Nosso Senhor Jesus Cristo, sentado à mão direita de seu eterno Pai, mandou o Espírito Santo sobre os apóstolos reunidos no Cenáculo em companhia da Virgem Maria. *Pai-nosso, 10 Ave-Marias, Glória-ao-Pai.*

QUARTO MISTÉRIO

No quarto mistério contemplamos como a Virgem Maria, alguns anos depois da ressurreição de seu Filho, passou desta vida e foi levada ao céu pelo mesmo Senhor, acompanhada de coros de anjos. *Pai-nosso, 10 Ave-Marias, Glória-ao-Pai.*

QUINTO MISTÉRIO

No quinto mistério contemplamos como a Virgem Maria com grandes festas e júbilos da corte celestial foi coroada pelo seu Filho, do que todos os santos receberam glória particular. *Pai-nosso, 10 Ave-Marias, Glória-ao-Pai.*

Agradecimento

Infinitas graças vos damos, soberana Princesa, pelos benefícios que todos os dias recebemos da vossa mão liberal. Dignai-vos agora e para sempre tomar-nos debaixo do vosso poderoso amparo e, para mais vos obrigar, vos saudamos com uma

Salve Rainha

Salve, Rainha, Mãe de misericórdia, vida, doçura e esperança nossa, salve! A vós bradamos os degradados filhos de Eva; a vós suspiramos, gemendo e chorando neste vale de lágrimas.

Eia, pois, advogada nossa, esses vossos olhos misericordiosos a nós volvei; e depois deste desterro, mostrai-nos Jesus, bendito fruto do vosso ventre, ó clemente, ó piedosa, ó doce sempre Virgem Maria. Rogai por nós, Santa Mãe de Deus, para que sejamos dignos das promessas de Cristo.

LADAINHA DE NOSSA SENHORA

Kyrie, eleison.

Senhor, tende piedade de nós.

Christe, eleison.

Jesus Cristo, tende piedade de nós.

Kyrie, eleison.

Senhor, tende piedade de nós.

Christe, audi nos.

Jesus Cristo, ouvi-nos.

Christe, exaudi nos.

Jesus Cristo, atendei-nos.

Pater de cælis. Deus, **miserere nobis.**

Deus, Pai dos céus, **tende piedade de nós.**

Fili, Redemptor mundi, Deus,

Deus, Filho, Redentor do mundo,

Spiritus Sancte, Deus,

Deus, Espírito Santo

Sancta Trinitas, unus Deus,

Santíssima Trindade que sois um só Deus,

Sancta Maria, **ora pro nobis.**

Santa Maria, **rogai por nós.**

Sancta Dei Genitrix,

Santa Mãe de Deus,

Sancta Virgo virginum,

Santa Virgem das virgens,

Mater Christi,

Mãe de Jesus Cristo,

Mater divina gratia,

Mãe da divina graça,

Mater purissima,

Mãe puríssima,

Mater castissima

Mãe castíssima

Mater inviolata,

Mãe imaculada,

Mater intemerata,

Mãe intacta,

Mater amabilis,

Mãe amável

Mater admirabilis,

Mãe admirável,

Mater boni consilii,

Mãe do bom conselho,

Mater Creatoris,

Mãe do Criador,

Mater Salvatoris,

Mãe do Salvador,

Virgo prudentissima,

Virgem prudentíssima,

Virgo veneranda,

Virgem venerável,

Virgo prædicanda,	Virgem louvável,
Virgo potens,	Virgem poderosa,
Virgo clemens,	Virgem benigna,
Virgo fidelis,	Virgem fiel,
Speculum justitiæ,	Espelho de justiça,
Sedes sapientiæ,	Sede da sabedoria,
Causa nostræ latitiæ,	Causa da nossa alegria,
Vas spirituale,	Vaso espiritual,
Vas honorabile,	Vaso honorifico,
Vas insigne devotionis,	Vaso insigne de devoção,
Rosa mystica,	Rosa mística,
Turris Davidica,	Torre de Davi,
Turris eburnea,	Torre de marfim,
Domus aurea,	Casa de ouro,
Fœderis arca,	Arca da aliança,
Janua cœli,	Porta do céu,
Stella matutina,	Estrela da manhã,
Salus infirmorum,	Saúde dos enfermos,
Refugium peccatorum,	Refúgio dos pecadores,
Consolatrix afflictorum,	Consoladora dos aflitos,
Auxilium christianorum,	Auxílio dos cristãos,
Regina angelorum,	Rainha dos anjos,
Regina patriarcharum,	Rainha dos patriarcas,
Regina prophetarum,	Rainha dos profetas,
Regina apostolorum,	Rainha dos apóstolos,
Regina martyrum,	Rainha dos mártires
Regina confessorum,	Rainha dos confessores,
Regina virginum,	Rainha das virgens,
Regina sanctorum omnium,	Rainha de todos os santos,

Regina sine labe originali concepta,

Regina Sacratissimi Rosarii,

Agnus Dei, qui tollis peccata mundi, **parce nobis, Domine.**

Agnus Dei, qui tollis peccata mundi, **exaudi nos, Domine.**

Agnus Dei, qui tollis peccata mundi, **miserere nobis.**

Antiph. Sub tuum præsidium confugimus, Sancta Dei Genitrix, nostras deprecationes ne despicias in necessitatibus; sed a periculis cunctis libera nos semper, Virgo gloriosa et Benedicta.

℣. Ora pro nobis, sancta Dei Genitrix.

℟. **Ut digni efficiamur promissionibus Christi.**

Oremus. Deus cujus Unigenitus per vitam, mortem et ressurrectionem suam, nobis salutis æternæ præmia comparavit, concede, quæsumus: ut haec mysteria sanctissimo Beatæ Mariæ Virginis Rosario recolentes; et imitemur quod continent, et quod promittunt assequamur. Per eumdem Christum Dominum nostrum. **Amen.**

Rainha concebida sem pecado,

Rainha do sacratíssimo rosário,

Cordeiro de Deus, que tirais os pecados do mundo, **perdoai-nos, Senhor.**

Cordeiro de Deus, que tirais os pecados do mundo, **ouvi-nos, Senhor.**

Cordeiro de Deus, que tirais os pecados do mundo, **tende piedade de nós.**

Antif. À vossa proteção recorremos, Santa Mãe de Deus, não desprezeis nossos rogos; mas livrai-nos sempre de todos os perigos, ó Virgem gloriosa e bendita.

℣. Rogai por nós, Santa Mãe de Deus.

℟. **Para que sejamos dignos das promessas de Cristo.**

Oremos. Deus, cujo Unigênito com sua vida, morte e ressurreição nos alcançou os prêmios da vida eterna, concedei-nos, nós vos pedimos, que recordando estes mistérios no sacratíssimo Rosário da bem-aventurada Virgem Maria, imitemos o que eles contêm e alcancemos o que prometem. Pelo mesmo Cristo Senhor Nosso. **Amém.**

ORAÇÃO DE SÃO BERNARDO

Para implorar o auxílio de Maria Santíssima

Lembrai-vos, ó piíssima Virgem Maria, que nunca se ouviu dizer que algum daqueles que têm recorrido à vossa proteção, implorado a vossa assistência e reclamando o vosso socorro, fosse por vós desamparado. Animado eu, pois, com igual confiança, a vós, Virgem entre todas singular, como a Mãe recorro; de vós me valho, e gemendo sob o peso de meus pecados me prostro aos vossos pés. Não rejeiteis as minhas súplicas, ó Mae do Filho de Deus humanado, mas dignai-vos de as ouvir propícia e de me alcançar o que vos rogo. Amém (*300 dias de ind. cada vez*).

ORAÇÃO A SÃO JOAQUIM
Antífona

Louvemos o homem glorioso em sua descendência, porque o Senhor lhe deu a bênção de todas as nações, e confirmou sobre sua cabeça o seu testamento.

℣. Será poderosa na terra a sua descendência.

℟. A descendência dos que são retos será abençoada.

Oremos

Ó Deus, que com preferência aos outros vossos santos quisestes que o bem-aventurado São Joaquim fosse pai de vossa Mãe, concedei, nós vos pedimos, que sintamos perpetuamente o patrocínio daquele de quem veneramos a comemoração. Pelo mesmo Cristo, Senhor Nosso. Amém.

ORAÇÃO A NOSSA SENHORA E A SANTA ANA

Deus vos salve, cheia de graça, o Senhor é convosco, e vossa graça seja comigo; bendita sois vós entre as mulheres, e bendita seja Santa Ana, vossa Mãe, da qual nascestes, ó Virgem Maria, sem mácula nem pecado, porquanto de vós foi nascido Jesus Cristo, Filho de Deus vivo.

Esta oração tem 100 dias de indulgência por cada vez que se recitar devotamente com o coração contrito.

ORAÇÃO AO SANTO DO PRÓPRIO NOME

Glorioso S. (nome) de cujo nome me glorio, que me impuseram no batismo para serdes meu especial advogado perante Deus, impetrando-me auxílios nas tentações e misericórdia nas fragilidades: eu vos rogo vossa proteção, a fim de que me alcanceis de Deus todas as graças de que necessito e, principalmente, a de uma boa morte, para convosco ir gozar e louvar a Deus por todos os séculos dos séculos. Amém.

Oração

Adotada pelos Bispos da Província Eclesiástica Meridional do Brasil, pela pátria, pela Igreja e pelo Santo Padre (Conferências episcopais de São Paulo de 3 a 12 de novembro de 1901).

Deus e Senhor nosso, protegei vossa Igreja, dai-lhe santos pastores e dignos ministros; derramai vossas bênçãos sobre o nosso Santo Padre, o Papa, sobre o nosso bispo, sobre o nosso pároco e todo o clero; sobre o chefe da Nação, do Estado e todas as pessoas constituídas em dignidade, para que governem com justiça; dai ao povo brasileiro paz constante e prosperidade completa. Favorecei com os efeitos contínuos de vossa bondade o Brasil, este bispado, a paróquia que habitamos, a cada um de nós em particular e todas as pessoas por quem somos obrigados a orar ou que se recomendaram às nossas orações. Tende misericórdia das almas dos fiéis, que padecem no purgatório; dai-lhes, Senhor, o descanso e a luz eterna. *Pai-nosso, Ave-Maria, Glória.*

Jaculatórias

Para depois da bênção do Santíssimo Sacramento, em desagravo

Deus seja bendito.
Bendito seja seu santo nome.
Bendito seja Jesus Cristo, verdadeiro

Deus e verdadeiro homem.

Bendito seja o nome de Jesus.

Bendito seja seu Sacratíssimo Coração.

Bendito seja Jesus no Santíssimo Sacramento do Altar.

Bendita seja a grande Mãe de Deus, Maria Santíssima.

Bendita seja sua Santa e Imaculada Conceição.

Bendito seja o nome de Maria, Virgem e Mãe.

Bendito seja Deus nos seus anjos e nos seus santos.

(*Dois anos de ind. concedidos pelo Papa Leão XIII cada vez que se rezarem estas jaculatórias com o coração contrito e devoto. E plenária, uma vez por mês, para quem as rezar todo o mês, em um dia à escolha, com confissão e comunhão, e orar por algum tempo em igreja ou oratório público, segundo a intenção do Santo Pontífice. Decreto da Cong. Ind. de 2 de fevereiro de 1897.*)

BREVE CONSAGRAÇÃO
ao Sagrado Coração de Jesus

Meu amável Jesus, para vos testemunhar o meu reconhecimento e em reparação das minhas infidelidades, dou-vos o meu coração, consagro-me inteiramente a Vós e proponho com a vossa graça nunca mais vos ofender.

(*100 dias de ind. cada vez, diante da imagem do Sagrado Coração de Jesus; plenária, no fim do mês.*)

Jaculatórias

– Seja amado por toda a parte o Sagrado Coração de Jesus (*100 dias de ind. cada vez*. Pio IX. 20 de setembro de 1860).

– Jesus, meu Deus, amo-vos sobre todas as coisas (*50 dias cada vez. Pio IX. 7 de maio de1854*).

– Jesus, manso e humilde de coração, fazei meu coração conforme ao vosso (*300 dias uma vez ao dia. Pio IX. 25 de janeiro de 1868*).

– Doce Coração de meu Jesus, fazei que eu vos ame cada vez mais (*300 dias cada vez; plenária no fim do mês. Pio IX. 26 de novembro de 1876*).

SÚPLICAS AO SANTÍSSIMO CORAÇÃO DE JESUS
Para obter o fim dos males atuais

Adorável Coração de Jesus, foco do divino amor, órgão da inefável misericórdia que moveu o Filho de Deus a suportar, por amor dos homens, tão penosos trabalhos, sofrimentos tão dolorosos, morte tão cruel; ó Coração infinitamente terno e compassivo, que outrora vivamente vos comovestes com a vista do corpo inanimado de Lázaro e com a angústia da mãe, privada do único filho, eis uma mãe mais desolada e digna de vossa compaixão; eis a Igreja, vossa esposa, que a Vós recorre em sua angústia, e que vos suplica que a consoleis em sua imensa dor.

Ela vê grande número dos filhos que lhe destes entregando-se à morte mais terrível; esforçando-se, ainda, por arrastar consigo seus irmãos para o abismo. Ela os vê, ó Jesus, levantarem-se contra Vós, unirem-se para aniquilar vosso reinado e estancar na terra a corrente de vossas graças.

Ela vê seu Chefe visível, vosso Vigário na terra, despojado do patrimônio herdado de seus predecessores, privado da liberdade indispensável para o exercício de seu augusto ministério, cativo em sua capital, indignamente ultrajado até em seu próprio palácio.

Para libertar a Igreja dos males que sofre e desviar os perigos que a ameaçam não tem recurso algum na terra. Nos poderes humanos encontra encarniçados inimigos e em vão entre eles procura um defensor.

Divino Salvador, só temos esperança na imensidade de vossa misericórdia. Só podemos salvar-nos por um milagre de vosso Coração; glorificai seu poder por este prodígio perfeitamente gratuito. Empregai para a regeneração do mundo cristão um esforço de bondade superior àquele a que o mundo pagão deve sua conversão.

Realizai as promessas que em outro tempo fizestes a uma de vossas dedicadas servas; reanimai com as chamas de vosso divino Coração nossa sociedade decrépita, que perece no gelo da indiferença e do egoísmo, e visto que a Igreja realizou o desejo que manifestastes há dois séculos, revelando o culto especial deste adorável Coração, não tardeis em derramar na terra as bênçãos abundantes de que esta devoção deve ser a fonte.

Para que sua vivificante influência possa esclarecer e regenerar as almas, que não têm ainda a felicidade de vos conhecer e amar, exercei-a primeiro, bom Jesus, sobre aqueles que, no meio da deserção geral, permanecem fiéis a Vós. Aumentai em nós a fé, a caridade, a fortaleza; ensinai-nos a nos unir estreitamente para resistir com vantagem à multidão aguerrida de vossos inimigos.

Abrasai progressivamente nossos corações com o espírito de zelo que anima o vosso. Fazei-nos todos, sacerdotes e fiéis, apóstolos de vosso amor, para que possamos contribuir, na extensão de nossa influência, para restabelecer o reinado de vosso Coração sobre os corações de todos os homens. Amém.

Coroinha do coração de Jesus

I – Amorosíssimo meu Jesus, quando medito no vosso Santíssimo Coração e o vejo todo piedade e doçura para com os pecadores, sinto que o meu se enche de alegria e confiança de que será de Vós bem acolhido.

Ai de mim! Quantos pecados tenho cometido! Mas agora, como Pedro e como Madalena, penetrado de dor os choro e detesto, por serem ofensas vossas, ó Sumo Bem. Sim, sim, concedei-me um perdão geral: e oxalá eu morra, vos peço por vosso Santíssimo Coração, antes do que vos ofenda e viva só para amar-vos. *Pai-nosso, 3 Glória-ao-Pai.*

℣. Doce Coração de Jesus,

℟. Fazei que eu vos ame sempre mais.

II – Ó meu Jesus, eu bendigo o vosso humildíssimo Coração e vos dou graças por me haverdes dado para exemplar; e não só com fortes desejos me estimulastes a imitá-lo, mas ainda, à custa de tantas humilhações vossas, me proporcionastes e aplanastes o caminho. Como tenho sido louco e ingrato!... quanto me tenho extraviado!... perdoai-me. Nada mais quero de soberba e ambição; quero só seguir-vos com humilde coração entre as humilhações e alcançar a paz e salvação. Dai-me Vós o valor para isso, e bendirei eternamente vosso Coração. *Pai-nosso, 5 Glória-ao-Pai etc. como acima.*

III – Ó meu Jesus, eu pasmo ao observar vosso pacientíssimo Coração e vos dou graças por tantos exemplos maravilhosos de invicto sofrimento, que nos deixastes. Pesa-me que debalde me repreendam meu gênio indignamente espinhado e insofrido por qualquer pena. Ah! Meu amado Jesus, infundi no meu coração férvido e constante amor às tribulações, cruzes, mortificações, penitências, para que seguindo-vos ao Calvário, chegue convosco à glória e alegria do Paraíso. *Pai-nosso, 5 Glória-ao-Pai etc. como acima.*

IV – Na presença de vosso mansíssimo Coração, ó amado Jesus, eu me horrorizo ao ver o meu tão diverso do vosso.

Fico logo em extremo desassossegado e lamento o menor gesto ou palavra que me contrarie. Ah Senhor! Perdoai-me estas impaciências, e dai-me a graça para, no futuro, imitar em qualquer contrariedade vossa inalterável mansidão, e por tal modo gozar de santa e perpétua paz. *Pai-nosso, 5 Glória-ao-Pai etc. como acima.*

V – Entoem-se louvores, ó Jesus Amado, ao vosso generosíssimo Coração, vencedor da morte e do inferno, que bem merece ser infinitamente louvado. Eu fico mais que confundido ao ver o meu tão pusilânime, que estremece a qualquer dito injurioso; mas não será mais assim. A Vós imploro tanta fortaleza e valor para sofrer as injúrias que, lutando e vencendo na terra, possa depois triunfar alegre convosco no céu. *Pai-nosso, 5 Glória-ao-Pai etc. como acima.*

Voltemo-nos para Maria Santíssima, consagrando-nos a ela com forte determinação, e confiando em seu materno Coração, lhe digamos:

Pelas altas prerrogativas de vosso dulcíssimo Coração, alcançai-me, ó Maria, Mãe de Deus e minha Mãe, verdadeira e permanente devoção ao Sagrado Coração de Jesus, vosso Filho, pela qual, nele encerrando meus pensamentos e afetos, cumpra todos os meus deveres e, com alegria de coração, sirva sempre, mas especialmente neste dia, a Jesus Cristo. Amém.

℣. Coração de Jesus, abrasado de amor por nós,

℟. Inflamai o meu coração de amor por Vós.

Oremos

Nós vos suplicamos, ó Senhor, que o Espírito Santo ateie em nossas almas aquele mesmo fogo que Jesus Cristo tirou do santuário de seu Coração e o arremessou à terra para que ela toda nele se abrasasse. Pelo mesmo Jesus Cristo Senhor Nosso. Amém.

O Sumo Pontífice Pio VII, com Rescrito de 20 de março de 1815 e outro de 26 de setembro de 1817, concedeu perpetuamente aos fiéis que rezarem com o coração contrito estas orações, indulgências de 300 dias por cada vez, e plenária, uma vez por mês, aos que as tiverem rezado diariamente e orarem segundo a intenção do Sumo Pontífice.

Fórmula de consagração ao Sagrado Coração de Jesus

Prescrita pelo Santo Padre Leão XIII na Encíclica de 25 de maio de 1899

Dulcíssimo Jesus, Redentor do gênero humano, lançai um olhar favorável sobre nós, que humildemente estamos prostrados diante de vosso altar.

Somos e queremos ser vossos; mas para que possamos viver mais estreitamente unidos a Vós, neste dia cada um de nós se consagra espontaneamente ao vosso Sacratíssimo Coração.

Muitos homens nunca vos conheceram, muitos desprezaram os vossos mandamentos e vos abandonaram; tende compaixão de uns e de outros, ó amabilíssimo Jesus, e chamai-os todos para o vosso Santo Coração.

Sede, Senhor, o rei não só dos fiéis que nunca se afastaram de Vós, mas também dos filhos pródigos que vos abandonaram. Fazei que estes voltem quanto antes à casa paterna, para não morrerem de miséria e de fome.

Sede o rei daqueles que, ou vivem dominados pelo erro ou vivem separados da Igreja pelo cisma; conduzi-os ao porto da verdade, à unidade da fé, a fim de que, em breve, haja um só rebanho e um só pastor.

Sede, finalmente, o rei de todos os que estão mergulhados nas antigas superstições dos gentios, e não recuseis arrancá-los das trevas para os conduzirdes à luz e ao Reino de Deus.

Dai, Senhor, à vossa Igreja salvação, segurança e liberdade. Concedei a todas as nações tranquilidade e ordem; fazei que de uma a outra extremidade da terra ressoe uma só palavra: – Louvor ao Coração divino que nos deu a salvação; a Ele honra e glória por todos os séculos. Amém.

Ladainha do Sagrado Coração de Jesus

Por decreto da Sagrada Congregação dos Ritos de 2 de abril de 1899, o Santíssimo Padre Leão XIII concedeu licença para se cantar ou rezar publicamente em toda a Igreja a Ladainha do Santíssimo Coração de Jesus, à qual concedeu 300 dias de indulgência.

Kyrie, eleison.	Senhor, tende piedade de nós.
Christe, eleison.	Jesus Cristo, tende piedade de nós.
Kyrie, eleison.	Senhor, tende piedade de nós.
Christe, **audi nos.**	Jesus Cristo, **ouvi-nos.**
Christe, **exaudi nos.**	Jesus Cristo, **atendei-nos.**
Pater de cælis Deus, **miserere nobis.**	Deus Pai dos Céus, **tende piedade de nós.**
Fili Redemptor mundi Deus,	Deus Filho, Redentor do mundo,
Spiritus Sancte, Deus,	Deus, Espírito Santo,
Sancta Trinitas, unus Deus,	Santíssima Trindade, que sois um só Deus,
Cor Jesu, Filii Patris æterni,	Coração de Jesus, Filho do Pai Eterno,
Cor Jesu, in sinu Virginis Matris a Spirito Sancto formatum,	Coração de Jesus, formado pelo Espírito Santo no seio da Virgem Mãe,
Cor Jesu, Verbo Dei substantialiter unitum,	Coração de Jesus, unido substancialmente ao Verbo de Deus,
Cor Jesu, Majestatis infinitæ,	Coração de Jesus, de majestade infinita,
Cor Jesu, templum Dei Sanctum,	Coração de Jesus, templo santo de Deus,

Cor Jesu, tabernaculum Altissimi,	Coração de Jesus, tabernáculo do Altíssimo,
Cor Jesu, domus Dei et porta cæli,	Coração de Jesus, casa de Deus e porta do céu,
Cor Jesu, fornax ardens caritatis,	Coração de Jesus, fornalha ardente de caridade,
Cor Jesu, justitia et amoris receptaculum,	Coração de Jesus, receptáculo de justiça e de amor.
Cor Jesu, bonitate et amore plenum,	Coração de Jesus, cheio de bondade e de amor,
Cor Jesu, virtutum omnium abyssus,	Coração de Jesus, abismo de todas as virtudes,
Cor Jesu, omni laude dignissimum,	Coração de Jesus, digníssimo de todo louvor,
Cor Jesu, rex et centrum omnium cordium,	Coração de Jesus, rei e centro de todos os corações,
Cor Jesu, in quo sunt omnes thesauri sapientia et scientia,	Coração de Jesus, no qual estão todos os tesouros da sabedoria e ciência,
Cor Jesu, in quo habitat omnis plenitudo divinitatis,	Coração de Jesus, no qual habita toda a plenitude da divindade,
Cor Jesu, in quo Pater sibi bene complacuit,	Coração de Jesus, no qual o Pai Celeste põe as suas complacências,
Cor Jesu, de cujus plenitudine omnes nos accepimus,	Coração de Jesus, de cuja plenitude nós todos recebemos,
Cor Jesu, desiderium collium æternorum,	Coração de Jesus, desejo das colinas eternas,
Cor Jesu, patiens et multa misericordiæ,	Coração de Jesus, paciente e misericordioso,
Cor Jesu, dives in omnes qui invocant te,	Coração de Jesus, rico para todos os que vos invocam,
Cor Jesu, tons vitæ et sanctitatis,	Coração de Jesus, fonte de vida e santidade,

Cor Jesu, propitiatio pro peccatis nostris,

Coração de Jesus, propiciação pelos nossos pecados,

Cor Jesu, saturatum opprobriis,

Coração de Jesus, saturado de opróbrios,

Cor Jesu, attritum propter scelera nostra!

Coração de Jesus, atribulado por causa de nossos crimes,

Cor Jesu, usque ad mortem obediens factum,

Coração de Jesus, feito obediente até a morte,

Cor Jesu, lancea perforatum,

Coração de Jesus, atravessado pela lança,

Cor Jesu, fons Totius consolationis,

Coração de Jesus, fonte de toda consolação,

Cor Jesu, vita et resurrectio nostra,

Coração de Jesus, nossa vida e ressurreição,

Cor Jesu, pax et reconciliatio nostra,

Coração de Jesus, nossa paz e reconciliação,

Cor Jesu, victima peccatorum,

Coração de Jesus, vítima dos pecadores,

Cor jesu, salus in te sperantium,

Coração de Jesus, salvação dos que em Vós esperam,

Cor Jesu, spes in te morientium,

Coração de Jesus, esperança dos que em Vós expiram,

Cor Jesu, deliciæ Sanctorum omnium,

Coração de Jesus, delícia de todos os santos,

Agnus Dei, qui tollis peccata mundi, **parce nobis, Domine.**

Cordeiro de Deus, que tirais os pecados do mundo, **perdoai-nos, Senhor.**

Agnus Dei, qui tollis peccata mundi, **exaudi nos, Domine.**

Cordeiro de Deus, que tirais os pecados do mundo, **ouvi-nos, Senhor.**

Agnus Dei, qui tollis peccata mundi, **miserere nobis.**

Cordeiro de Deus, que tirais os pecados do mundo, **tende piedade de nós.**

℣. Jesu, mitis et humilis Corde,

℣. Jesus, manso e humilde de coração,

℟. Fac cor nostrum secundum Cor tuum.

Omnipotens sempiterne Deus, respice in Cor dilectissimi Filii tui et in laudes et satisfactiones, quas in nomine peccatorum tibi persolvit, iisque misericordiam tuam petentibus, Tu veniam concede placatus, in nomine ejusdem Filii tui Jesu Christi, qui tecum vivit regnat in unitate Spiritus Sancti Deus, per omnia sæcula sæculorum. Amen.

℟. Fazei o nosso coração semelhante ao vosso.

Oremos. Ó Deus onipotente e eterno, olhai para o Coração de vosso Filho diletíssimo e para os louvores e satisfações que Ele vos tributa em nome dos pecadores e aos que imploram vossa misericórdia concedei benigno o perdão em nome do mesmo vosso Filho, Jesus Cristo, que convosco vive e reina, Deus em unidade do Espírito Santo, por todos os séculos dos séculos. **Amém**.

Exercícios para o
dia da primeira comunhão
dos meninos

O sacerdote fará uma breve alocução. Depois os meninos, de pé, recitarão juntos, tendo nas mãos velas acesas.

Creio em Deus Pai todo-poderoso, criador do céu e da terra. E em Jesus Cristo, um só seu Filho, Nosso Senhor; o qual foi concebido do Espírito Santo; nasceu de Maria Virgem; padeceu sob o poder de Pôncio Pilatos, foi crucificado, morto e sepultado, desceu aos infernos, ao terceiro dia ressurgiu dos mortos; subiu aos céus, está sentado à mão direita de Deus Pai todo-poderoso, de onde há de vir a julgar os vivos e os mortos. Creio no Espírito Santo; na Santa Igreja Católica; na comunhão dos santos; na remissão dos pecados; na ressurreição da carne; na vida eterna. Amém.

Sacerdote. Credes firmemente em todas as verdades contidas no Símbolo dos Apóstolos?

Meninos. Cremos.

S. Credes em geral tudo o que Deus revelou e nos ensina pela sua Santa Igreja?

M. Cremos.

S. Credes, em particular, que nosso divino Redentor Jesus Cristo instituiu sete sacramentos, e que Ele, no Santíssimo Sacramento do Altar, está presente tão real e perfeitamente como está no céu?

M. Cremos.

S. Prometeis guardar fielmente, com a graça de Deus, esta santa fé católica até o fim de vossa vida?

M. Prometemos.

S. Prometeis renunciar a satanás, às suas pompas e a todas as suas obras?

M. Prometemos.

S. Prometeis guardar inviolavelmente os mandamentos de Deus?

M. Prometemos.

S. Prometeis receber dignamente em toda a vossa vida os santos sacramentos da Penitência e da Comunhão?

M. Prometemos.

S. Prometeis cumprir fielmente os preceitos da Santa Madre Igreja?

M. Prometemos.

S. Prometeis prestar sempre o respeito e obediência aos superiores, postos pelo Espírito Santo para regerem a Igreja de Deus?

M. Prometemos.

(*Sentam-se. Segue-se a exortação e bênção do sacerdote.*)

Consagração
ao divino Coração de Jesus

Sacerdote. Santíssimo Coração de Jesus, eis-nos aqui prostrados na vossa divina presença para nos consagrarmos a Vós para sempre.

Doce Coração de Jesus, tende piedade de nós.

Meninos. Doce Coração de Jesus, tende piedade de nós.

Sacerdote. Amabilíssimo Jesus, durante os dias de vossa vida mortal vos aprazíeis em abençoar as crianças e em estreitá-las sobre o vosso divino Coração, dizendo com infinito amor: "Deixai vir a mim as crianças, porque delas é o Reino dos Céus". Muito vos agradecemos, ó Jesus, por nos haverdes querido tanto.

Por gratidão e amor nós vos oferecemos o nosso coração.

M. Por gratidão e amor nós vos oferecemos o nosso coração.

S. Clementíssimo Jesus, em vossa entrada triunfante em Jerusalém as crianças cantavam: "Hosana! Glória ao Filho de Davi!" Unindo hoje as nossas vozes às dos meninos de Jerusalém, repetimos com santa alegria: "Adoração, honra e glória ao Sagrado Coração de Jesus!"

M. Adoração, honra e glória ao Sagrado Coração de Jesus!

S. Jesus, cheio de bondade, neste belo dia atendei aos nossos desejos, ouvi as nossas orações. Todos ao mesmo tempo vos pedimos pelo vosso preciosíssimo sangue: "Sagrado Coração de Jesus, guardai-nos a inocência e pureza de coração".

M. Sagrado Coração de Jesus, guardai-nos a inocência e pureza de coração.

S. Sagrado Coração de Jesus, abençoai aos nossos pais, parentes e benfeitores.

M. Sagrado Coração de Jesus, abençoai aos nossos pais, parentes e benfeitores.

S. Sagrado Coração de Jesus, tende compaixão dos pobres pecadores.

M. Sagrado Coração de Jesus, tende compaixão dos pobres pecadores.

S. Ó Jesus, abençoai estas crianças que hoje com tanto fervor se consagraram ao vosso divino Coração. São vossas, meu Jesus, protegei-as, defendei-as e fazei que nenhuma delas jamais se separe de Vós.

M. Sagrado Coração de Jesus, abençoai-nos; pois no vosso amor queremos viver e morrer. Amém.

Consagração
ao Coração Imaculado de Maria

Sacerdote. Puríssimo Coração de Maria, pela graça de Deus, fonte inexaurível de bondade, de doçura, de amor e misericórdia, vós que amastes a

Deus mais que os serafins; Coração Imaculado da Mãe de Jesus, que tão vivamente sentistes as nossas misérias e tanto sofrestes pela nossa salvação, que pelo vosso amor mereceis o respeito, amor, reconhecimento e a confiança de todos os homens, dignai-vos de receber benignamente (hoje no dia feliz da nossa primeira comunhão) a nossa consagração.

Meninos. Ó Senhora minha, ó minha Mãe, eu me ofereço todo a vós; – e em prova de minha devoção para convosco – vos consagro neste dia – os meus olhos, – os meus ouvidos, – a minha boca, – o meu coração, – e inteiramente todo o meu ser. E porque assim sou vosso, – ó incomparável Mãe, guardai-me, – defendei-me, – como uma coisa e propriedade vossa. Amém.

S. Ó Maria, Mãe de Jesus e nossa Mãe Santíssima, abençoai estes meninos que vos são consagrados. Guardai-os com cuidado maternal, para que nenhum deles se perca. Defendei-os contra as ciladas do demônio e contra os escândalos do mundo, para que sejam sempre humildes, mansos e puros. Ó Mãe nossa, Mãe de misericórdia, rogai por nós, e depois deste desterro mostrai-nos Jesus, bendito fruto do vosso ventre.

M. Ó clemente, ó piedosa, ó sempre Virgem Maria! Amém.

(Tirado do livrinho "Adoremos").

PRECES

*Que sua Santidade Leão XIII mandou
dizer no fim da missa rezada*

3 Ave-Marias e 1 Salve Rainha

℣. Rogai por nós, Santa Mãe de Deus.

℟. Para que sejamos dignos das promessas de Cristo.

Oremos

Deus, refúgio e fortaleza nossa, atendei propício aos clamores do vosso povo, e pela intercessão da gloriosa e Imaculada Virgem Maria, Mãe de vosso Filho, e do bem-aventurado S. José, casto esposo de Maria, dos vossos bem-aventurados Apóstolos Pedro e Paulo e de todos os santos, ouvi benigno e misericordioso as súplicas que do fundo da alma vos dirigimos pela conversão dos pecadores, liberdade e exaltação da Santa Madre Igreja. Por Cristo Nosso Senhor. Amém.

Acrescente a invocação:

São Miguel Arcanjo, protegei-nos no combate; cobri-nos com vosso escudo contra os embustes e ciladas do demônio. Imponha-lhe Deus o seu poder; instantemente o pedimos; e vós, Principe da milícia celeste, por divina virtude, precipitai no inferno a satanás e aos outros espíritos malignos que andam pelo mundo procurando perder as almas. Amém.

O Santíssimo Padre Papa Leão XIII concedeu 300 dias de indulgência aos que recitarem estas orações.

A estas orações acrescente devotamente o sacerdote, por três vezes, *juntamente com o povo a seguinte invocação:*

Sacratíssimo Coração de Jesus, tende misericórdia de nós.

O Santo Padre Pio X concedeu a indulgência de sete anos e sete quarentenas, cada vez.

MODO DE AJUDAR A MISSA[11]

Observações

1. Quem é admitido à honra de ajudar a missa deve fazê-lo com muita decência e devoção, como convém a ato tão santo.

2. O acólito deve ter cuidado que estejam acesas as velas do altar e as galhetas com vinho e água antes de começar a missa, e ajudará o padre a revestir-se das vestes sacerdotais.

3. Quando o padre se dirigir para o altar, o acólito irá adiante com muita modéstia e, ao chegar ao altar, fará genuflexão em plano e pôr-se-á de joelhos, ficando sempre do lado oposto àquele em que estiver o missal.

---

11. Nota do editor: Lembre-se o leitor de que, sendo esta obra anterior ao Concílio Vaticano II, as instruções aqui presentes se referem à missa celebrada na forma extraordinária do rito romano, ou rito tridentino.

4. Ao começar a missa, o acólito deve benzer-se com o padre e responderá clara e distintamente, sem se apressar, pondo bem cuidado em não responder antes do padre ter acabado o que diz.

5. Todas as vezes que o acólito tiver de passar diante do meio do altar, deve fazer genuflexão à cruz.

6. Ao acabar a missa, o acólito voltará à sacristia da mesma maneira que daí partiu, e ajudará o padre a se despir dos paramentos da missa.

7. Quanto às cerimônias particulares que se devem observar, ao ajudar a missa, o acólito deve aprendê-las com cuidado e executá-las com gravidade e exatidão

Modo de responder à missa

Sacerdote – In nomine Patris, et Filii, et Spiritus Sancti. Amen. Introibo ad altare Dei.

Ministro – Ad Deum qui laetificat juventutem meam.

Sacerdote – Judica me, Deus, et discerne causam meam de gente non sancta, ab homine iniquo et doloso erue me.

Ministro – Quia tu es, Deus, fortitudo mea, quare me repulisti? Et quare tristis incedo, dum affligit me inimicus?

Sacerdote – Emitte lucem tuam et veritatem tuam; ipsa me deduxerunt, et adduxerunt in montem sanctum tuum et in tabernacula tua.

Ministro – Et introibo ad altare Dei, ad Deum qui laetificat juventutem meam.

Sacerdote – Confitebor tibi in cithara, Deus, Deus meus: quare tristis es, anima mea, et quare conturbas me?

Ministro – Spera in Deo, quoniam adhuc confitebor illi; salutare vultus mei et Deus meus.

Sacerdote – Gloria Patri et Filio et Spiritui Sancto.

Ministro – Sicut erat in principio, et nunc, et semper, et in saecula saeculorum. Amen.

Sacerdote – Introibo ad altare Dei.

Ministro – Ad Deum qui laetificat juventutem meam.

Sacerdote – Adjutorium nostrum in nomine Domini.

Ministro – Qui fecit coelum et terram.

Sacerdote – Confiteor… ad Dominum Deum nostrum.

Ministro – Misereatur tui omnipotens Deus, et dimissis peccatis tuis, perducat te ad vitam aeternam.

Sacerdote – Amen.

Inclina-se o ministro

Ministro – Confiteor Deo omnipotenti, beatae Mariae semper Virgini, beato Michaeli Archangelo, beato Joanni Baptistae, santis Apostolis Petro e Paulo omnibus sanctis, et tibi, pater, quia peccavi nimis cogitatione, verbo et opere: mea culpa, mea culpa, mea maxima culpa. Ideo precor beatam Mariam semper Virginem, beatum Michaelem Archangelum, beatum Joannem Baptistam, sanctos Apostolos Petrum et Paulum, omnes Sanctos, et te, pater, orare pro me ad Dominum Deum nostrum.

Sacerdote – Misereatur vestri omnipotens Deus, et dimissis peccatis vestris, perducat vos ad vitam aeternam.

Ministro – Amen.

Sacerdote – Indulgentiam, absolutionem et remissionem peccatorum nostrorum tribuat nobis omnipotens et misericors Dominus.

Ministro – Amen.

Sacerdote – Deus, tu conversus vivificabis nos.

Ministro – Et plebs tua laetabitur in te.

Sacerdote – Ostende nobis, Domine, misericordiam tuam.

Ministro – Et salutare tuum da nobis.

Ministro – Domine, exaudi orationem meam.

Ministro – Et clamor meus ad te veniat.

Sacerdote – Dominus vobiscum.

Ministro – Et cum spiritu tuo.

Depois do introito

Sacerdote – Kyrie, eleison.

Ministro – Kyrie, eleison.

Sacerdote – Kyrie, eleison.

Ministro – Christe, eleison.

Sacerdote – Christe, eleison.

Ministro – Christe, eleison.

Sacerdote – Kyrie, eleison.

Ministro – Kyrie, eleison.

Sacerdote – Kyrie, eleison.

Antes das orações

Sacerdote – Dominus vobiscum.

Ministro – Et cum spiritu tuo.

Depois da primeira e última oração, o ministro responde: Amen.

No fim da epístola responde:

Ministro – Deo gratias.

Depois do gradual, quando o sacerdote deixa o lado esquerdo do altar, o ministro transporta a estante e o livro para o outro lado.

Ao Evangelho

Sacerdote – Dominus vobiscum.

Ministro – Et cum spiritu tuo.

Sacerdote – Sequentia sancti evangelii etc.

Ministro – Gloria tibi, Domine.

Depois do Evangelho

Ministro – Laus tibi, Christe.

Antes do Ofertório

Sacerdote – Dominus vobiscum.

Ministro – Et cum spiritu tuo.

O ministro vai à credência, toma as galhetas e vem para o canto do altar apresentá-las ao sacerdote.

Sacerdote – Orate, frates.

Ministro – Suscipiat Dominus sacrificium de manibus tuis, ad laudem et gloriam nominis sui, ad utilitatem quoque nostram, totiusque Ecclesiae suae sanctae.

No prefácio

Sacerdote – Per omnia saecula saeculorum.

Ministro – Amen.

Sacerdote – Dominus vobiscum.

Ministro – Et cum spiritu tuo.

Sacerdote – Sursum corda.

Ministro – Habemus ad Dominum.

Sacerdote – Gratias agamus Domino Deo nostro.

Ministro – Dignum et justum est.

Antes do Pater

Sacerdote – Per omnia saecula saeculorum.

Ministro – Amen.

Sacerdote – Oremus praeceptis... Pater noster... et ne nos inducas in tentationem.

Ministro – Sed libera nos a malo.

Antes dos Agnus

Sacerdote – Per omnia saecula saeculorum.

Ministro – Amen.

Sacerdote – Pax Domini sit semper vobiscum.

Ministro – Et cum spiritu tuo.

Depois da primeira e última oração, o ministro responde: Amen.

Se o sacerdote deixa o livro aberto, deve este ser transportado para o outro lado.

Depois das orações

Sacerdote – Dominus vobiscum.

Ministro – Et cum spiritu tuo.

Sacerdote – Ite missa est; ou Benedicamus Domino.

Ministro – Deo gratias.

Ou nas missas de finados

Sacerdote – Requiescant in pace.

Ministro – Amen.

Sacerdote – Benedicat vos omnipotens Deus, Pater, et Filius, et Spiritus Sanctus.

Ministro – Amen.

Nas missas de finados não há bênção.

Ao último Evangelho

Sacerdote – Dominus vobiscum.

Ministro – Et cum spiritu tuo.

Sacerdote – Initium ou Sequentia etc.

Ministro – Gloria tibi, Domine.

Depois do Evangelho

Ministro – Deo gratias.

Conecte-se conosco:

- **f** facebook.com/editoravozes
- **⊙** @editoravozes
- **𝕏** @editora_vozes
- **▶** youtube.com/editoravozes
- **☎** +55 24 2233-9033

www.vozes.com.br

Conheça nossas lojas:

www.livrariavozes.com.br

Belo Horizonte – Brasília – Campinas – Cuiabá – Curitiba
Fortaleza – Juiz de Fora – Petrópolis – Recife – São Paulo

EDITORA VOZES LTDA.
Rua Frei Luís, 100 – Centro – Cep 25689-900 – Petrópolis, RJ
Tel.: (24) 2233-9000 – E-mail: vendas@vozes.com.br